남킹 SF 소설집

남킹
https://brunch.co.kr/@wonmar
소설가. 남킹 컬렉션 #001 - #444 출간을 목표로 합니다.
스페인 알리칸테 거주.

발 행 | 2024-01-08
저 자 | 남킹
펴낸이 | 한건희
펴낸곳 | 주식회사 부크크
출판사등록 | 2014.07.15(제2014-16호)
주 소 | 서울 금천구 가산디지털1로 119, A동 305호
전 화 | 1670 - 8316
이메일 | info@bookk.co.kr
ISBN | 979-11-410-6510-2
본 책은 브런치 POD 출판물입니다.
https://brunch.co.kr

www.bookk.co.kr

남킹 SF 소설집
브런치 스토리

남킹

목차

마르 데페스에게 이 책을 바칩니다.

남킹 컬렉션

#001 그레고리 흘라디의 묘한 죽음
#002 거짓과 상상 혹은 죄와 벌
#003 신의 땅 물의 꽃
#004 심해
#005 당신을 만나러 갑니다.
#006 블루드래곤 744
#007 꿈은 이루어진다.
#008 파벨 예언서
#009 떠날 결심
#010 리셋
#011 1월의 비
#012 남킹의 문장 1
#013 남킹의 문장 2
#014 남킹의 문장 3
#015 하니은 매화
#016 남킹의 문장 4
#017 스네이크 아일랜드
#018 천일의 여황제
#019 이방인
#020 거리를 비워두세요
#021 사랑 그 쓸쓸함에 대하여
#022 남킹의 문장 1 브런치 스토리
#023 알리칸테는 언제나 맑음
#024 길에 내리는 빗물
#025 서글픈 나의 사랑

일곱 번째 자식

금권(화폐)권력은 평화시에 국가를 잡아먹으려 하고 역경의 시기에는 반역을 꾀한다. 그것은 군주제보다 더 포학하고, 독재보다 더 거만하며, 관료제보다 더 이기적이다.

나는 가까운 미래에 나를 무력하게 하고 내 조국의 위험 앞에 떨게 하는 위기가 닥쳐올 것을 알고 있다.

기업이 왕좌를 차지했다.

타락의 시대가 뒤따를 것이고, 재부가 소수의 손에 집중되고, 공화국이 파괴될 때까지 금권(화폐)권력은 대중에게 손해를 끼치며 그 권세를 확장할 것이다. - 에이브러햄 링컨(미국 대통령, 1809.2.12~1865.4.15)

모든 것은 정지한 것처럼 보였다. 어둠 속에 여명이 있었다. 침울하게 뻗은 도로. 대지를 가득 메운 먼지.

그녀는 눈을 가늘게 뜨고 지평선을 바라본다. 그녀 앞에 무덤 같은 산등성이 끝도 없이 펼쳐졌다.

낡은 그림 같았다. 한동안 그렇게 있었다.

이윽고 따뜻한 무언가가 그녀를 감쌌다. 잠시 다른 세상의 느긋한 혼란 같은 느낌이었다.

그러다 불현듯 세찬 바람이 등 뒤에서 불었다. 그녀는 몸을 가눌 수가 없었다. 순간 정신이 아득해졌다.

그녀가 떨어진 곳은 연꽃이 무성하게 핀 연못이었다.

그녀는 그중에 가장 빛나는 연꽃 하나를 가슴에 품었다.

그녀는 행복함으로 눈물을 흘렸다.
암스의 아내는 영국을 여행 중이었다. 원인 모를 병으로 시름시름 앓던 그녀는, 자구책으로 친정집에 당분간 머물기로 하고 떠난 것이다. 원래 한 달을 예정하였으나 6개월째 계속 머물고 있었다.
하녀인 에스나가 들어왔다. 그녀는 전형적인 유럽인의 모습이었다.

얇은 입술, 창백한 피부, 갈색 머리, 푸른색이 도는 눈동자. 작은 키만 빼면 말이다.
그녀는 원래 아내의 몸종이었다. 하지만 그녀가 없는 사이, 암스의 시녀가 되어 궂은일을 도맡아 하고 있었다.
그녀를 특징짓는 한 가지는, 살포시 벌린 입술에 머문 상냥한 미소였다. 그리고 거기에 걸맞게 자주 웃었다.
그녀는 자신이 직접 만든 새 메이드복을 입고 주인의 서재를 청소하고 있었다.
암스는, 그녀 치마에 수 놓은 한 송이 꽃을 발견하고는 호기심이 들어 물었다.
"꿈에서 본 꽃이옵니다. 주인님. 감히 무슨 꽃이라고 알지 못할 뿐만 아니라 자라면서 본 기억도 없는 꽃입니다."
"네가 본 것을 한번 말해보거라."
"여러 번 꿈을 꾸었고 조금씩 다르기는 하지만, 늘 같은 한 가지는…. 아주 검은 물에 별빛보다 더 밝은, 크고 아름다운 꽃을 안고 나면 깬다는 사실입니다."
"기묘하구나. 왜냐하면 나 또한…." 그 순간 암스는 말을 멈추었다.

그가 몇 달간 간직한 꿈의 비밀을 하찮은 하녀에게 처음으로 털어놓는다는 사실이 겸연쩍다고 느끼기 시작한 것이었다.
그는 잠시 생각에 잠기더니 이윽고 그녀에게 손짓했다.
"내게 가까이 다가오려무나."
"네?"
"내게 가까이 오너라."
그녀는 천천히 주인에게 다가갔다.
"너는 입이 무겁냐?"
"네, 그렇습니다. 주인님. 그것이 무엇이든 무덤까지 가져갈 것입니다." 그녀는 조숙하고 엄격한 말투로 말하였다.
"월경은 끝났느냐?"
"네, 그러하옵니다만…"
"얼마나 되었느냐?"
"2주 전쯤이옵니다."
"너의 질에서 맑고 미끈거리는 분비물이 나오느냐?"
"네, 그러하옵니다만…"
"그럼, 오늘 밤 잠자리에 들기 직전 내게로 몰래 오너라. 누구에게도 말하지 말고."
"그건?"
"그래, 나는 오늘 너를 품을 것이다. 하지만 누구에게도 발설하지 말거라. 나는 네가 거주할 집을 따로 마련할 것이다. 그리고 너를 죽을 때까지 돌볼 것이다."
"절대 평지풍파를 일으키지는 않을 것입니다. 주인님."

4개월 뒤, 암스는 약속대로 그녀를 내보냈다. 그의 집에서 마차로 한나절이나 가야 하는 곳에 거처를 마련해주었다. 그는 한 달 혹은 두 달에 한 번씩 그녀를 찾았다. 그리고 아들이 태어났다.
그의 일곱 번째 자식이었다.
그를 물의 꽃, 로터스라고 이름 지었다. 하지만 그의 성 파더스는 물려주지 않았다.
파더스 가문은 유럽을 떠돌던 집시였다.
그들의 조상이 어디서 기원하였는지는 거의 알려지지 않은 상태였다. 그저 수 세기 동안 유럽과 중앙아시아, 서아시아를 돌아다녔다.

그들이 유럽의 중앙, 프랑스와 독일의 국경 지역에 정착을 한 시기는 대략 신성 로마 제국 시절이었다. 그곳에서도 그들은 한동안 천민으로 살았다.
그들은 대륙의 지리에 밝은 점을 이용해 소규모의 무역을 하고 있었다.
암스의 조상, 숄레트 또한, 어릴 적부터 중국 혹은 인도까지 이어지는, 거칠고 위험한 육로 무역을 하고 있었다. 그는 다양한 나라의 여러 가지 언어를 구사할 수 있었으며, 영리하고 성실하여 인근 귀족들이 단골이 되었다.
그는 고객이 원하는 각종 차나 향신료뿐만 아니라 중국 도자기, 여러 가지 금속 공예품 등을 취급하였다.
그는 고객이 주문한 것은 어떤 일이 있어도 꼭 구해주었으므로 귀족이나 재력가들의 인심을 확고히 하고 있었다.

그러던 중, 1453년 오스만 제국의 메흐메트 2세가 콘스탄티노플을 점령하면서 비잔티움 제국이 멸망하였다. 즉, 천년 제국 동로마가 멸망한 것이다.

이것은 유럽의 무역상들에게는 적지 않은 타격을 안겨 주었다. 이슬람 제국을 거치지 않고서는 육로로 무역을 할 수 없는 지경이 된 것이다.

하지만 슐레트에게는 더할 나위 없는 좋은 기회였다. 그는 이슬람 친구가 많았을 뿐만 아니라 어릴 적부터 그들의 관습과 종교에 익숙하였다.

사실상 그에게는 무역 독점 상황이 발생한 것이다. 그리고 그는 이 기회를 충분히 발휘했다.

그는 천정부지로 치솟는 동방의 제품들을 안정적으로 그의 고객들에게 납품하였다. 그는 무역에서 가장 중요한 것을 알고 있었다.

그것은 신뢰였다.

그는 합당한 가격으로 계약을 하였으며, 판매 물건 가격이 아무리 높게 올라도 계약 가격으로만 받았다.

그의 명성은 삽시간에 퍼져나갔다. 그리고 그는 자기의 명성에 걸맞게 세습 남작이라는 직분을 돈을 주고 샀다.

주위의 유력 가문들이 그에게 투자하기 시작했다. 어떤 가문은 아예 장부 관리까지 맡겼다. 그렇게 그는 유럽의 성공한 가문으로 뿌리를 내리기 시작했다.

하지만 집시 가문이라는 꼬리표는 여전히 그들을 따라다녔다. 적어도 워털루 전투가 발생하기 전까지는 그러하였다.

암스의 할아버지 다비드는, 그가 스물다섯 살이 되었을 때, 영국의 몰락한 귀족의 딸이지만, 미의 여신으로 유명한 마리안느를 아내로 맞이하였다.
그는 어릴 적부터 무척 많은 곳을 여행하였다. 영국과 스코틀랜드는 그가 스물두 살이 되었을 때 다녀온 곳이었다.
그가 맨체스터 지역을 여행하던 중 머문 호텔에서 마리안느의 미모에 대한 소문을 듣게 되었다. 그는 자기 눈으로 그녀를 직접 보고 싶었다. 그래서 그 길로 그녀가 살고 있다는 리버풀로 갔다. 하지만 그가 그녀를 본 것은 그로부터 한 달이나 지난 후였다.
그녀는 병든 어머니 간호로 인하여 거의 집 밖 출입을 하지 않는 상태였다. 그리고 마침내 한 달 뒤, 그녀의 어머니 장례식 때 그는 먼발치에서 그녀를 지켜보았다.
수수한 검은 장례복을 입은 그녀였지만 미모는 눈부시었다. 그는 그 때 그 순간을 늘 입버릇처럼 말하곤 하였다.
“죽음의 행렬 가운데 황홀감을 느낀 사람은 아마 나 뿐일 거야.”

그는 장례식이 끝나고 다시 한 달이 흐른 뒤, 그녀의 아버지를 찾아갔다.
그는 두꺼운 분량의 혼인 계획서 같은 것을 작성해서 갔는데, 여기에는 두 사람의 결합 이후의 구체적인 재정 계획이 담겨 있었다. 사실 그 재정 계획이라는 게 일방적인 후원에 가까웠다.
그는 무척 영리한 사람이었다. 그는 누구보다도 정보에 관심이 많은 사람이었다. 그는 정보와 신뢰만이 유일하게 중요한 성공의 잣대라는 것을 파악한 사람 중의 한 사람이었다.

그는 마리안느의 가문이 명맥만 유지하는 귀족으로 엄청난 부채에 시달리고 있다는 사실을 파악했다.

그래서 그는 아주 구체적이고 명확하게 앞으로 장인어른이 되면 누리게 될 재정적 혜택과 아내로서 누리게 될 특장점을 명확하고 또렷하게 제시하였다.

그러고도 그는 3년을 더 기다렸다. 그동안 그는 쟁쟁한 경쟁자들을 하나씩 물리쳤다.

그는 그녀와 멀리 떨어져 있었지만 바로 옆집에 사는 것처럼 그녀와 주변의 정보를 속속들이 파악하고 있었다. 그의 이러한 놀라운 정보력은 마침내 그가 서른이 되었을 때 빛을 발하게 되었다.

바로 워털루 전투였다.

전쟁은 언제나 그렇듯이 막대한 돈을 먹었다. 영국 또한 프랑스와의 전쟁을 위해 국채를 마구 발행하고 있었다. 그는 여러 경로를 통해 나폴레옹 시대가 저물고 있다는 것을 감지하고 있었다.

하지만 그때까지도 나폴레옹의 명성과 공포는 전 유럽을 공포로 넣고도 남았다. 워털루 전투가 벌어지기 전, 영국 국채의 가치는 바닥을 기고 있었다. 어느 누가 봐도 나폴레옹의 승리가 점쳐지고 있던 순간이었다.

그는 정보를 수집함과 동시에 정보의 활용에도 적극적이었다. 그는 전투가 벌어지는 곳곳에 정보원을 배치했다. 그리고 연락원을 통해 수시로 진행 상황을 보고 받았다. 그리고 어느 순간, 그는 영국 국채를 모두 다 매수하였다.

나폴레옹의 패전을 확신한 거였다. 그는 대번에 유럽에서 가장 부유한 귀족이 되었다.
훗날, 그는 자식들에게 한 장의 그림을 보여주었다. 바로 워털루 지역을 묘사한 지도였다.
그는 프랑스 진영 수백 미터 앞을 가로지르는 검은 선을 가리키며 자랑스럽게 말했다.
"이 검은 선이 무엇인지 아무도 몰랐지. 그곳 농부들만 알고 있더구먼. 깊은 웅덩이였지. 프랑스가 자랑하는 최강의 기마병이 간과한 부분이지. 그리고 나폴레옹의 오만함이 더해졌지. 그 순간 나는 신의 섭리라고 느꼈지. 나폴레옹의 종말을…"
파더스 가문의 최대 수혜자는 암스였다.
그는 할아버지의 막대한 재산과 지혜, 할머니의 수려한 외모를 그대로 물려받았다.
그는 당시 재정적 위기에 봉착한 왕족들과 거래하며 권력까지 손에 쥐게 되었다. 그는 이제 하늘 아래 누구 하나 부러울 필요가 없는 완벽한 삶을 살게 되었다.
그리고 그 정점에서 그는 자신의 가문을 이후, 천 년 이상 빛낼 계획을 실천하기로 결심하였다.
땅거미가 내릴 때쯤 여섯 아들과 그들의 식솔들이 모두 모였다.

밤이 유리창에 짙어 갔다. 하인들은 서둘러 램프에 불을 밝혔다.
집사는 검은 천으로 싼 대형 그림을 조심스레 벽에 걸었다. 불빛이 벽에 반사되어 일렁거렸다.

암스는 지팡이를 그러쥔 채 천천히 그림 곁으로 걸어가서 천을 벗겼다.
파더스 가문을 상징하는 사자, 호랑이, 독수리 그리고 왕관이 모두 사라지고 없었다.
6개의 검은 방패가 둘러싼 것은 한 송이 흰 꽃이었다. 지켜보는 이들 가운데 웅성거림이 일었다.
"아버님, 저 꽃은 무슨 의미입니까? 생소합니다." 첫째 아들 레이가 물었다.
"연꽃이다." 암스는 좌중을 둘러보며 말했다.
"네, 물론 연꽃입니다만…왜 저 꽃이 저희 문양에 새겨졌는지?" 아들은 재차 물었다.
"연꽃은 진흙탕에서 자라지만 진흙에 물들지 않는다. 연꽃잎에는 단 한 방울의 오물도 머무르지 않는다. 그대로 굴러떨어진다. 물속의 나쁜 냄새는 사라지고 좋은 향기를 연꽃이 낸다. 연꽃은 어떤 곳에 있어도 푸르고 맑은 줄기와 잎을 유지한다. 연꽃의 모양은 둥글고 원만하다. 연꽃은 색깔이 곱다. 마음과 몸을 맑고 포근하게 한단다." 아버지는 부드러운 미소를 지었다.
"하지만 아버님, 오랫동안 이어온 파더스의 문양에 나약한 꽃이 추가되리라고는 감히 상상을 못 했습니다." 둘째 아들 좌네가 한 발짝 앞으로 나서며 머쓱해진 표정을 지었다. 차가운 스모키 실버를 한 긴 머리칼이 찰랑거렸다. 그는 어머니를 쏙 빼닮았다.
"연꽃의 줄기는 부드럽고 유연하다. 절대로 쉽게 부러지지 않는다." 그는 목에서 가래가 올라 온 듯, 그르렁거리며 힘들게 말을 이어갔다.

"나는 이제 너희를 세상 밖으로 내보낼 생각이다. 첫째 레이는 미국으로, 둘째 좌네는 영국으로, 셋째 살론은 이탈리아로, 넷째 칼른은 브라질로, 다섯째 오나는 인도로, 여섯째 해즐너는 중국으로 갈 것이다. 그리고 명심해라. 너희의 이름에는 항상 파더스가 붙어 있다는 사실을…. 그리고 저 꽃의 의미를…"

파더스 형제들은 머리를 어색하게 수그리며 아버지의 뜻을 받아들였다.

암스는 마지막으로 그의 막내 아들에게로 갔다.

"너는 이제 아프리카로 갈 것이다. 그곳에서 너의 뿌리를 건설하거라. 그리고 명심하거라. 너는 지금부터 파더스 가문의 아들이다. 그리고 늘 시선을 미래에 머물기를 희망한단다. 아들아."

그는 파더스 문장을 그의 일곱 번째 아들에게 주었다. 그리고 처음으로 그를 보듬었다.

렉 션
그레고리 홀라디의
묘한 죽음
남킹 장편소설

거짓과 상상
혹은
죄와 별
남킹 장편소설
남킹 컬렉션 #002

연꽃

사람들의 행동을 유심히 관찰해 보라. 그들의 미래, 불행과 행복을 예측해 볼 수 있을 것이다. -노자

늦가을 더위가 한창 기승을 부리던 어느 날, 니콜라스는 군에 징집되었다. 그의 나이 스물이었고 막 결혼한 때였다.

그는 가난한 농사꾼이었고 고향을 떠나 본 적이 없었다. 학교에 다녀 본 적도 없으며, 당연히 글을 읽고 쓸 줄도 몰랐다.

그의 관심은 오로지 하늘과 땅, 가족과 가축, 옥수수와 밀이었다.

그 해는 무척 가물었다.

사실, 해가 갈수록 강수량이 줄어들고 있었다. 농작물은 고사하고 가축뿐만 아니라 심지어 사람이 마실 물도 부족했다. 자연히 농촌을 등지는 주민이 늘어났다.

게다가 멀지 않은 곳에 대규모 다이아몬드 광산이 발견되어 이주민들을 불러 모으기 시작했다. 마을 청년 대부분이 그곳으로 떠났다.

하지만 니콜라스는 고향에 머물렀다.

그리고 조용히 때를 기다렸다.

그는 어느 날, 아내에게 이런 말을 하였다.

"머지않아 탐욕이 부른 전쟁이 나서 자신이 끌려가게 될 거 같아….

그리고 전쟁이 끝나면 우리는 아주 아주 먼 곳으로 가게 될 거야….

사람이 거의 살지 않는 곳으로 말이야…."

그녀는 그의 말을 귀담아듣지 않았다.

왜냐하면 그는 종종 그녀에게 꿈 이야기를 하였다. 그리고 그 내용은 대부분 먼 미래나 과거에 관한 거였다.
그의 신상에 관한 이야기는 이번이 처음이었다. 그리고 그녀는 자기 남편이 단지 상상력이 풍부한 사람이라고만 여겼다.
그런데, 얼마 뒤, 그의 말대로 다이아몬드 광산 이권을 둘러싼 두 민족 간의 충돌이 발생했다.
그는 보병으로 참전하였다. 광산이 내려다보이는 힐마리아 언덕에는 여러 개의 진지가 구축되었다. 각 진지는 참호로 연결되어 있었다. 그는 그곳에서 군사 물자를 나르는 일을 하였다.
전투는 치열했다.
밤낮으로 포격과 총격전이 이루어졌다. 매일 수많은 군인이 전사하였다. 하지만 좀처럼 한쪽으로 전세가 기울지 않았다.
팽팽한 상태가 한 달 동안 지속되었다.
그러던 어느 날, 니콜라스는 그의 동료에게 꿈 이야기를 하였다.

"내일이면 적들이 소리소문없이 사라질 것 같은데…하지만 그게 더 무서운 일이지…."
이 말을 전해 들은 동지들은 하나같이 실소를 금할 수 없었다. 왜냐하면 매일 밤 그들은 사방에서 올라오는 적들과 치열한 전투를 하였기 때문이었다.
하지만 그의 예언은 정확했다.
이틀날부터 주변에 산재했던 수많은 적들이 자취를 감춘 거였다.

이게 바로, 니콜라스의 명성이 알려진 첫 번째 사건이었다.
그는, 적들이 그다지 효과가 없는 포위 격멸이나 거점점령 식 작전을 포기하고 게릴라전으로 바꾸었다는 사실을 미리 알아챈 것이다.
이 얘기는 곧바로 대대장 귀에 들어갔다.
그는 반신반의하면서도 니콜라스를 일단 곁에 두고 좀 더 지켜보기로 하였다.
이후 니콜라스는 여러 작전회의에 참석하여 그의 예언을 말하였고, 이는 곧바로 사실로 드러났다. 덕분에 그의 군은 차츰차츰 승기를 잡아 나갔다.
그리고 마침내 그의 말대로, 적이 휴전 제안을 해 왔다.
이 기쁘고 놀라운 소식은 나라 전역에 삽시간에 퍼졌다. 하지만 사람들을 더욱 놀라게 한 것은 니콜라스의 예언 능력이었다.
그는 군이 하사한 최고 훈장과 좋은 보직 제안도 마다하고 고향으로 돌아갔다. 하지만 그를 보려는 사람들이 매일 구름처럼 몰려왔다.

니콜라스 가족은 결국 고향을 등질 수밖에 없었다.
이후, 그에 관한 소식은 어디에서도 들리지 않았다.
누군가 가우타를 찾아오기 전까지는 말이다.
그가 매사추세츠공과대학 컴퓨터 공학부에 합격하여 미국으로 건너가기 직전의 일이었다.
"하지만 제가 당신이 찾는 그 사람이라는 것을 어떻게 확신하나요?" 가우타의 호기심이 안쓰러운 회의감으로 이어졌다.
나탈리아는 잠시 머뭇거리며 주저하는 듯하다가 그를 빤히 쳐다보며 말을 이어갔다.

"솔직히 저도 확신을 하지는 못합니다. 아버지가 매번 겪는 환영이 미래의 모습인지 아니면 단지 정신이상에서 비롯된 것인지… 사실 대다수는 엉뚱하기 짝이 없는 이야기입니다."

"예를 들면?"

"예를 들면, 이런 겁니다. 남극지방에 음식이 가득한 거대 냉장고가 있다거나 사막에 낙타를 통째로 집어삼키는 지렁이가 산다는 둥…"

"그건 전설입니다."

"네?"

"사막의 지렁이…. 아버님이 책을 좋아하셨군요."

"아버지는 글자를 모릅니다. 그래서 제가 대신 아버지의 환영을 받아 적었고요. 좀 더 정확히 하자면, 제가 쓰는 일기에 아버지의 구술이 첨가되었습니다. 저의 밋밋한 하루에 감초 같은 이야기였거든요. 사실, 그냥 재미 삼아 적었습니다. 아버지의 이야기는 늘 흥미로웠거든요. 미래의 예언이라고는 전혀 생각하지도 못했습니다."

"그런데?"

"그러다 어느 날 문득 깨달았습니다. 아버지의 환영이 미래의 모습일지 모른다는…."

"그건?"

"네, 어느 날 뉴욕의 쌍둥이 빌딩이 무너지더군요. 그런데 그게 저에게는 생소하지 않더군요. 그래서 저는 급히 일기장을 뒤지기 시작했습니다. 그리고 오래전에 기록된 것을 발견했습니다."

그녀는 가방에서 낡은 공책을 하나 꺼내더니 마크한 표시를 펼쳐 읽기 시작했다.

"탐욕의 도시에, 하늘을 찌르던 두 개의 쌍둥이 탑이 무너졌다. 오만과 반목이 널리 퍼졌고 마침내 멸종의 전조가 시작되었다. 사람들은 두려움을 감추지 못하게 되었다. 증오가 낳은 끔찍함의 단면을 세상 모두가 지켜보았다."

"저는 그때부터 아버지의 이야기를 유심히 다시 읽기 시작했습니다. 돌아가시지 전까지 말입니다. 그리고 아버지의 말씀을 따로 공책에 적기 시작했습니다. 마침내 7권 분량의 책이 만들어졌습니다." 나탈리아는 그녀의 가방에 든 일곱 권의 자필 책을 그에게 내놓았다.

"그런데 왜 이 책을 저에게?" 가우타의 시선은 줄곧 책으로 향한 채 의아한 표정을 지었다.

"아버지의 유언입니다."

"네? 아버지의 유언? 그분이 저를 아셨나요?"

"모르십니다. 단지, 꼭 자신이 본 것을 전달하라고 말씀하셨습니다."

"그래서, 저는 당신에게 다시 한번 같은 질문을 던집니다. 당신이 찾는 이가 제가 맞나요?"

"확신은 없습니다. 하지만 당신이 맞습니다."

"어떻게?"

"아버지는 돌아가시기 전, 말씀하셨습니다."

그녀는 공책의 맨 마지막을 펼쳐서 읽기 시작했다.

"검은 땅끝, 하얀 마을에 세상을 구원할, 열은 날개 달린 이가 물의 꽃에서 탄생한단다. 공교롭게도 네가 태어난 그 날이란다. 그를 꼭 찾아 나의 이야기를 들려주기를 바란다. 그만이 우리를 암흑의 지옥에서 구원할 수 있단다."
"아버지, 제가 그를 어떻게 찾을 수 있나요?"
"나도 모르겠구나. 나탈리아. 하지만 그는 지독한 책벌레란다."
"검은 땅끝이 어디일까요?" 그녀는 읽기를 멈춘 채, 그를 빤히 쳐다보며 물었다.
"바로 여기, 남아프리카."
"하얀 마을은 바로 이곳이죠. 지금은 사라졌지만, 한때 진주 양식업이 번창하던 곳이죠. 원양 어업이 발전하기 전까지 말입니다."
"하지만 저는 날개가 없습니다."
"저는 당신을 한 달 동안 줄곧 지켜봤습니다. 이곳 마을, 유일한 공공 도서관에서…"
"당신의 일과는 거의 똑같더군요. 학교가 파하면 이곳에 와서 꼭 3권의 책을 빌려 가더군요. 우선 저는 무작위로 책을 집어 들고 맨 뒷장 도서 열람표를 조사했습니다. 거의 빠짐없이 당신의 사인이 등장하더군요. 그리고 나비를 무척 좋아하더군요. 사인 옆에는 꼭 나비 그림이…. 한 개, 두 개 혹은 세 개씩…. 열은 날개를 지닌…"
"네, 그건…. 권당 세 번씩만 보기 위하여…"
"이제 마지막으로 묻고 싶습니다. 당신은 언제 태어났나요?"
"1986년 6월 6일입니다."
나탈리아의 눈에 눈물이 고이기 시작했다. 그녀는 조용히 그녀의 여권을 그에게 보여줬다.

"당신이군요."

"네, 그리고 한가지 추가하자면…. 제 이름은 로터스입니다. 가우타 로터스. 로터스는 물의 꽃. 연꽃을 의미합니다."

"마침내…."

나탈리아는 그를 왈칵 끌어안았다. 감격의 눈물이 그녀의 볼을 타고 하염없이 흘러내렸다. 그녀는 지난 3년 동안, 가우타를 만나기 위하여, 땅끝이라고 알려진 세상의 모든 곳을 뒤지고 다녔다.

예언가 니콜라스는 눈을 감기 직전, 그녀에게 다음과 같이 말하였다.

"사랑하는 딸아, 너는 그의 그림자가 될 것이다. 나에 대하여 기록하였듯이, 그에 대한 모든 것을 기록으로 남겨 후세에 전하기 바란다. 너는 물의 꽃에서 깨달음을 얻는, 세상 모두의 어머니가 될 것이다. 그것이 너의 숙명이란다."

남킹 컬렉션 #003
신의 땅
물의 꽃
남킹 판타지 SF
남킹 장편소설

퍼즐의 끝에는 상상도 못한 연결고리가 있다!

NAM KING
COLLECTION
#004

심해
DEEP SEA

KING

남킹 SF 장편소설

파던 미

어리석음은 언제나 텅 빈 자들을 지배한다.

아니룻은 기자 출신이었다. 그녀는 가우타를 그냥 보낼 생각이 없었다.

"하지만 이 모든 것이 예정된 것이고, 당신이 알고 있다면, 왜 당신은 바꾸려고 하십니까? 어차피 그렇게 흘러갈 것을…"

"조금은 우스꽝스러운 이야기가 있습니다. 하지만 실제로 있었던 일입니다. 그 사건으로 말미암아, 저는 우리에게 예정되었던 운명을 바꿀 수 있다는 확신하게 되었습니다. 전쟁을 막을 수 있다는 신념 말입니다."

"당신이 바꾸었군요?" 그녀는 흥미로운 듯 가우타의 눈을 쳐다봤다.

"네, 소의 방귀와 성마른 대통령의 이야기입니다."

"소의 방귀?" 죽음에서 깨어난 이후, 그녀는 처음으로 미소를 지었다.

"네. 검색해보면 그날의 에피소드를 보실 수 있을 겁니다. 아마겟돈이 발생하기 40년 전의 일입니다. 예언에 의하면 어처구니없는 일로 재앙에 가까운 전쟁이 발생하는 거였습니다…" 가우타는 오래전 그날을 회상이라도 하는 듯, 무심한 표정을 지으며 말을 이어갔다.

"그때 저는 미국 실리콘밸리에서 사업을 시작할 때였습니다. 모든 게 불확실했지만, 사업은 생각만큼 순조롭게 진행이 되고 있었습니다. 꽤 많은 수익을 첫해부터 내고 있었습니다. 하지만 늘 마음속에 두려움이 있었습니다.
바로 예언의 내용 때문이었습니다.
저는 예언자의 따님이 받아 적은 일기장에 적힌 <글을 전달하는 기계>를 팩스라고 추측은 하였습니다. 그곳에는 조급한 지도자가 글을 전달하는 기계가 보낸 잘못된 글을 읽고 분노하여 전쟁을 일으킨다는 내용이었습니다.
바로 그 해였습니다.
저는 막 사업을 시작했고 성공 대로를 달리고 있는 참이라 무슨 수를 써서라도 이 전쟁을 막아보고 싶었습니다. 그래서 대통령과 정치인들에게 여러 차례 팩스를 믿지 말라는 내용의 편지를 띄웠습니다.

하지만 단순히 팩스를 믿지 말라는 내용의 편지를 어느 누가 받아본들 곧이곧대로 믿겠습니까? 단순한 장난 편지라고 치부할 것이 불을 보듯 뻔했습니다.
그래서 결국 모험했습니다. 광고를 냈어요. 우리 회사가 벌어들이는 모든 수익으로 미국 전역에 광고를 냈습니다.
내용은 아주 단순했습니다. <팩스를 믿지 마세요> 입니다.
그렇게 두 달이 넘게 광고를 냈습니다. 물론 당연하게도 저희 직원들의 불만이 터져 나왔죠. 얼토당토않은 내용의 광고로 인해 많은 돈을 낭비하니 어쩔 수 없었겠죠…
그러던 어느 날 워싱턴 포스트에 한 기사가 실렸습니다. 그리고 미국 전역이 발칵 뒤집혔습니다. 제목이 <전쟁을 막은 광고>였습니다.
제가 낸 광고로 인하여 미국과 중국의 전쟁 직전 상황이 극적으로 바뀌게 된 것입니다.
그때 깨달았죠. 운명을 우리가 바꿀 수 있다는 것을…"
****
이 모든 것은 소의 방귀 때문이었다.
지방 의회 의원 선거에 출마한 민갑충은 자신의 지지율이 형편없이 낮음에 심기가 불편했다. 투표일을 불과 일주일 남겨 놓은 시점이었다. 그동안 얼마 남지 않은 재산을 모두 쏟아부으며 고군분투하였지만, 이상하게 주민들의 반응은 냉담하기만 하였다. 날이 갈수록 심리적 압박만 더해갔다. 온라인, 오프라인 가릴 것 없이, 참모들이 쏟아낸 각종 아이디어도 모두 무용지물이 되었다. 그는 이제 거의 자포자기 상태가 되었다.
아들 녀석이 우연히 내뱉은 말을 듣기 전까지는 말이다.
"아버지, 가축이 내뿜는 방귀가 자동차가 배출하는 이산화탄소보다 86배 더 해롭다고 그러네요. 헤헤헤."
착한 아들은 침울해 있는 아빠를 돕자는 순수한 마음에 그냥 우스갯소리를 내뱉은 거였다.
그런데 민갑충의 표정이 묘했다. 마치 관속에 들어가는 시체처럼 널브러져 있던 그는 엄청나게 무시무시한 각성제를 맞은 듯 그 자리에서 벌떡 일어나며 다그치듯 아들을 붙잡고 물었다.
"그게 사실이여?"
"그럼요. 다큐멘터리에서 봤어요."
"다큐멘터리?"
"네, 넷무비스에서요."

그날 밤, 그는 그 다큐멘터리를 보고 또 보고 또 봤다. 그리고 열심히 무엇인가를 종이에 적기 시작했다.
다음 날 아침, 그는 선거 참모들 앞에 그 쪽지를 내놓았다.
- 온실가스 농도가 350ppm이면 지구에 위험하다. 그런데 이미 400ppm을 넘었다.
- 지구 온도가 빠르게 상승하고 있어서 공룡이 사라진 이래로 최대의 멸종 위기.
- 지구 온도가 2도 상승하면 가뭄, 기근으로 기후전쟁 발발.
- UN 보고서에 따르면 가축을 기르며 발생하는 온실가스가 모든 교통수단의 배기가스보다 많다.
- 인간이 초래한 기후 변화의 51%는 축산업 때문이다.
- 가축은 지구온난화의 주범일 뿐만 아니라 막대한 자원을 소비하고 있으며 지구 환경을 파괴한다.
- 70억 인류는 하루에 200억 리터의 물을 마시고 952만 톤의 음식을 먹는다.
- 15억 마리의 소는 1,700억 리터의 물을 마시고 6,123만 톤의 먹이를 먹는다.
- 현재 10억 명가량의 인간이 굶주린다.
- 인류가 생산하는 곡식의 절반은 가축이 먹는다.
"어떤가?"
그는 참모들의 눈빛을 하나하나 살피며 의미심장한 미소를 띠었다.

"우리의 정적인 부유한 후보가 뭣으로 돈을 벌었지?"

그제야 다들 고개를 끄덕거리기 시작했다.
"그야 축산업이죠. 이 동네 최대 규모의 현대식 축산 공장 주인이죠."
"우리는 이제 지구를 구하는 환경주의자가 되는 거야. 아니, 이 동네를 환경오염에서 벗어나게 할 수 있는 구세주가 되는 거야. 알겠지? 무슨 말인지."
민갑충 후보는 참석자 한 사람 한 사람을 지적하며 자신의 구상을 지시하기 시작했다.
"자네는 최근 5년간 이 지역에 발생한 오염 관련 기사를 수집하게."

"그리고 자네는 대형 걸개그림을 만들도록 하게. 소가 방귀를 뀌는 모습을 풍자한 그림말일세. 모든 사람의 주목을 한 눈에 받을 만큼 우스꽝스럽게 만드는 게 좋을 것 같으이…."
다음날, 거리 곳곳을 장식한 기묘한 그림을 보러 행인들이 모여들기 시작했다. 그림 속에는 소의 엉덩이가 몸통보다 유난히 크게 그려졌고, 사탄의 모습을 한 검은 가스가 항문에서 뿜어져 나와 사람들을 질식시키는 모습이었다. 그리고 밑에는 다음과 같은 구절이 적혀있었다.
'소가 내뿜는 메탄과 다른 가축의 가스가 전체 인구의 배설물보다 130배 더 많습니다. 환경을 생각하는 민갑충 후보 기호 3번.'
태그도 있었다. #소방귀 #환경오염주범 #멸종주범 #환경파괴
그의 기대는 예상치를 훌쩍 뛰어넘었다. 아니, 가히 폭발적이었다. 각종 SNS를 통해 무섭게 퍼져나간 이 그림은 온라인을 뜨겁게 달

구었다. 수십만 개의 댓글이 달리고 온갖 종류의 방귀 사진, 동영상, 그림들이 패러디하면서 전 세계로 삽시간에 퍼져나갔다.
결국 소 방귀 태그는 구글 올해의 검색어로 뽑혔다.
하지만 선거에는 그다지 도움이 되지 못하였다. 민갑충 후보는 유권자 13%의 저조한 득표로 탈락했다.
그리고 그렇게 소 방귀는 세월의 흐름과 함께 자연스레 우리의 기억에서 사라지는 듯하였다. 적어도 그날, 두 강대국 대표가 그렇게 흥분하지만 않았어도, 우리는 방귀가 초래한 이 끔찍한 위기를 맞지는 않았을 것이다. 적어도 말이다.
하지만 운명의 수레바퀴는 파국으로 일찌감치 예정되어 있었나 보다. 마치 쩌그노트처럼, 어리석은 인간은 그 바퀴로 뛰어들고 있었다.
<라스베이거스 미·중 고위급 회담.>
양국 외교부 수장이 모처럼 만에 모인 자리는 전 세계의 이목을 집중시키기에 충분하였다. 그동안 두 나라의 관계는 악화일로에 있었다.
미국은 소련의 몰락과 함께 그동안 절대 1강을 자랑하고 있었다. 하지만 무서운 경제 성장과 어마어마한 인구를 바탕으로 한 중국이 미국의 턱밑까지 올라오고 있었다. 향후 패권을 향한 두 나라의 보이지 않는 냉전이 곳곳에서 불협화음을 내고 있었다.
그렇게 시작된 양국 회담. 전 세계 기자들이 지켜보는 가운데 약 20분 정도의 공개 회담과 이후 비공개 회담을 진행할 예정이었다. 보통 공개 회담에서는, 다분히 형식적이지만 화기애애한 덕담을 양국 대표가 나누면서 시작하는 게 관례였다. 하지만 그날은 아니었다. 외교 의전이 전혀 지켜지지 않았다.
미국이 먼저 포문을 열었다.
"중국은 세계 안정을 유지하는 질서를 위협한다. 소수 민족, 홍콩, 대만의 탄압을 즉각 중지하기를 바란다."
그러자 중국이 반격하였다.
"내정 간섭하지 마라. 너희 나라나 잘해라. 미국 인권은 최저 수준이다. 유색인종 탄압하지 마라."
이 말을 들은 미국 대표는 화를 참지 못하고 카메라에 대고 큰소리로 외쳤다.
"당신들에게 경고하는데, 미국의 반대편에 서는 것은 언제나 큰 대가를 치르게 된다는 것을 명심해라!"
이에 질세라 중국 대표는 벌떡 일어나 미국 측에 손가락을 들어 올리며 거들먹거리는 투로 말을 쏟아냈다.
"너네는 세상을 파멸로 이끌고 있어. 세계 최대 쇠고기 소비국. GMO 옥수수, 콩으로 가축을 키우지. 가축의 배설물 53t이 미국에서 1초에 발생하는 양이야. 1년이면 샌프란시스코 전역을 덮고도 남지. 내가 좋은 그림 하나 보여주지."
중국 대표는 큰 액정의 휴대전화기에서 사진 한 장을 검색하여 기자들에게 보여주었다.
바로 소 방귀 그림이었다.
회담은 그 자리에서 끝장이 났다. 이 모든 게 생중계로 전 세계에 송출되었다. 그리고 바로 그날, 자존심이 무척 상한 미국 대통령은 대중국 전쟁 선포를 하였다. 데프콘 3단계였다. 그리고 중국이 48시간 이내에 공식 사과를 하지 않으면 데프콘 1단계로 격상하고 선제공격하겠다고 선언하였다. 데프콘 1단계는 미국 역사에 전례가 없는 상황이었다.

긴장의 이틀이 차곡차곡 흘러갔다. 중국 수뇌부의 고민이 점점 짙어졌다. 그 사이 미국은 발 빠르게 유럽과 동아시아에 군사적 동맹을 맺으며 전방위적으로 압박을 가하기 시작했다.

백척간두의 위기에 처한 중국. 결국 마지막 날, 마감 시간 10여 분을 남기고 한발 물러서기로 결심한 중국 주석은 신중하게 사과 용어를 채택하여 팩스로 백악관에 전송하였다.

'Pardon me.'

하지만 팩스를 받아 본 미국 대통령은 심하게 경련하기 시작했다. 자기 눈을 의심하지 않을 수 없었다. 그는 부들부들 떨리는 다리를 부여잡고 지하 벙커로 내려갔다. 그리고 눈물을 흘리며 외쳤다.

"신이시여, 저희를 용서하소서."

그는, 놀라운 표정으로 이를 지켜보던 국방부 장관에게 팩스의 내용을 공개하였다.

흐릿하지만 다음과 같았다.

'Farton me'

파벨 예언서

떠오르는 위협

남킹 장편소설

남킹 컬렉션 #008

리셋
Reset
남킹 SF 소설집
남킹 컬렉션 #010

매트릭스 3878A5

SF 초단편소설

눈부시게 젊은 그때, 나는 나의 모체가 되었던 <자궁 3878A5>의 영구폐기를 진행하였다. 나는 태양계 생태 조절 시스템 관리를 사업 기반으로 한 <하베스트 딘> 사의 수석연구원으로 57년째 근무 중이었고, 7번째 아내와 막 새로운 인생을 준비하고 있었다.

6번의 이혼 경력은, 타인에 비교하면 그다지 흠이 되는 경력은 아니었지만, 나는 선천적으로 지독한 보수적 경향의 유전적 특질을 물려받았고, 하나의 완전한 커플을 항상 동경해왔다. 그러므로 적어도 현재까지 나는 절망적인 사랑을 해왔다고 할 수 있겠다.

이 세상에는, 누구나 기억해야만 하는 순간을 맞이할 때가 있다. 바로 그 날이었다.

나는 나에게 생명을 준 잉태기를 분해액 속에 집어넣는 명령을 하달하면서, 아주 잠시나마 멜랑꼴리한 상태가 되었다. 노란 액체에 잠긴 나의 모태. 내 생명의 매트릭스(Matrix).

나는 1,756번째 아들로 태어났고, 9,869명의 자식을 생산한 자궁은 이제 영원히 사라지게 되었다. 어찌 보면 명실상부한 고아가 된 셈이다.

나의 수많은 형제는, 대부분 이곳 <섹터 7097> 영역에 남아 있지 않다. 그들 대다수는, 애초에 주어진 목적에 따라 가뭇없이 사라졌다. 그런 면에서 나는 대단한 행운아라고 할 수 있을 것이다.

나는 이제 자궁 7시리즈의 총 책임자가 되었다. 내가 생산을 책임지는 제품은, 변종의 독창적인 요소를 극대화한 작품이다. 게놈 혁신의 궁극적인 최상위라고 할 수 있을 것이다.

텔로미어의 마모는 더는 없다. 즉, 영생이 보장되었다. 도파민은 끊임없이 솟구치고 노르아드레날린은 극소량으로 줄었다. 다시 말해, 어떤 경우이든 늘 행복하다.

그리고 나의 제품들은 머잖아 6차 태양계 대전이 진행 중인 목성의 변방, 섹터 8구역으로 이동할 것이다. 그곳에서, 우리의 조물주이신, 인간의 탐욕을 대신하여 전쟁에 동원될 것이다.

남킹 컬렉션 #011
1월의 비
남킹 감성 소설집

남킹 컬렉션 #012
남킹의 문장 1
언어의 마법사 남킹의 문장들

김관홍

지난 다섯 번의 대멸종에서 최상위 포식자는 반드시 멸종했다. 현재 최상위 포식자는 인간이다. 이정모 저서『공생 멸종 진화』

2051년 6월 6일. 66세가 된 가우타는 전세계의 유명인으로부터 수많은 생일 축하 메시지를 전달 받았다.
그는 이제 세상을 움직이는 가장 유명한 기업인 중 한사람이었다.

그는 힉스 필드 (Higgs Field) 컨트롤기를 이용한 반중력 공중 부양 자동차 모델인 파이만 시리즈의 최대 주주이며 인공 위성 및 태양계 식민지 건설 전문 회사 <쏠라 G>, 최첨단 우주 탐사 기술 회사 인 <갤럭시 G>, 가상 현실 및 시뮬레이션 전문회사 <판도라 G>, 개방형 인공지능 생태계 오픈AI 설립자였다.
그는 또한, 가우타 재단을 통하여 수 많은 연구 단체에 후원을 하였다.
대표적으로 호킹 천체물리학 연구소, 폰노이만 물리 연구소, 공자 철학 연구소, 슈바이처 개발도상국 지원 센터등을 들 수 있겠다.
그는 게이트 재단과 협력하여 청정에너지인 핵융합 배터리를 개발하여 대기 오염을 획기적으로 낮추었으며, 마이크로 RNA 항암제, 3D 프린팅을 이용한 인체 장기, 암 진단 인공지능, 체내 이식 가능한 초소형 검사 장비등을 개발하는 데 투자를 아끼지 않았다.
그는 10년 연속, <세상을 움직이는 10인>으로 선정되었으며, 최근 3년동안, 가장 높은 긍정지수를 받기도 하였다.

반면, 10인중, 가장 높은 부정지수를 받은 이가 있었으니, 그의 이름은 헤룬 오티가나다.
그는 가우타와 버금가는 부자다.
난가자크의 명주로 만든 고급 실크 정장과 듀크 알랭크 동물원에서 사육하는 물소 가죽을 가공한 세르빙화를 즐거이 신고 다녔다.
그는 퓨샤가 야심차게 선보인 플로팅 가능 7세대 인공지능 전기차를 타고 다녔으며, 최고 속도 마하 7을 자랑하는 개량형 알카라 XG 메그를 30대나 보유하고 있었다.
그는 늘 지나치게 많은 인간이 한 곳에 몰려있다고 생각했다.
그는, 저소득층 사람이 거주하는, 거칠고 먼지나는 땅을 찾아다녔다.

혹은 전세계 어딜가나 볼 수 있는 도시 빈민가를 훑고 다녔다.
좁은 골목에 부랑아가 넘쳐나고 연약한 유기체들은 그 존재의 가치를 곱씹을 수 있는 여유조차 느낄 수 없을 만큼 벼랑끝의 삶을 유지하고 있는 그런 곳 말이다.
그는 무차별적으로 그런 싼 땅을 사들인 후, 사람들은 내 쫓고는, 초호화 돔을 건설하였다.
그는 유럽 전역에 세워진 하베스트 돔 내 최상위 펜션을 70개나 보유하고 있다.
하베스트 돔은 일명 노아의 돔으로 잘 알려져있는데 유럽 전역에 약 200개 정도가 세워졌다.
그리고 매년 10여개 정도의 신규 돔이 건설되고 있었다.
그는 최대 돔 건설회사인 하인커크의 회장이다.

그의 지분은 22.84%로 주식 가치는 20억 파르에 이르렀다.
스페이스 J 펀드로 조성된 돔의 건설은 종말이 있기 40년 전부터 시작되었다.
명분은, 태양계 식민지 건설이었다.
식민지에 건설하게 될 돔에 대한 지식과 경험을 쌓고 그곳에 거주하게 될 사람들의 사전 체험과 적응을 위한 거였다.
지름이 13km나 되는 지나치게 크고 넓은 반구형 아치가 모습을 드러내었을 때도 사람들은 그저 다가올 태양계 개척시대에 부풀어있었다.
심지어 같은 규모의 돔이 9개 더 건설될 때도 순진하게 우주시대의 꿈에만 부풀어있었다.
그도 그럴것이 돔 가까이에는 우주 왕복선 발사대가 항상 갖추어져 있었다.

실제로 2033년에는 화성 궤도를 도는 우주 정거장이 완료되었으며, 화성의 대기를 인간이 살 수 있도록 바꾸기 위한 테라포밍(Terraforming)프로젝트가 이미 성과를 내고 있었다.
그리고 2049년, 그 해에는 화성 거주민 300쌍이 떠났다.
어쩌면 영영 지구땅을 밟지 못할 수도 있는 상황이었지만, 60,000대 1의 치열한 경쟁을 뚫고 선발된 그들은 전세계가 지켜보는 가운데 미지의 세상으로 나아갔다.
이를 지켜보는 사람들은 순진하게 환호와 박수를 아낌없이 보냈다.

이면에 숨겨진 대 종말의 시나리오를 눈치채는 이는 아무도 없었다.

그즈음, 가우타는 점점 현실과 맞아 떨어지는 니콜라스의 예언으로 인하여 심기가 불편한 상태였다.
그는 생일날에 늘 하던데로 조용히 집을 나와 무척 낡은 구식 전기 차인 테슬라를 혼자 몰며 깊은 산중으로 향했다.
그를 오늘날 성공한 기업가로 만들어준 은인, 김관홍 박사의 묘지로 가는 길이었다.
9년전 오늘, 박사는 가우타의 생일 축하 모임에 참석하기 위해 집을 나섰다가 도로에서 누군가에게 살해당했다.
범인은 아직 밝혀지지 않았다.
가우타와 김관홍의 첫 만남에 대해서 나탈리아의 일기에는 아주 짤막하게 적혀 있다.
'사랑의 유람선에는 우연이라고 하기에는 지나치게 숙명적인 만남이 있습니다.'
가우타는 신혼여행중이었다.
부부는 한 달 가까이 동남아와 중국을 돌아 다녔다.
그러다 홍콩 국제 공항 청사의 한 벽면에 걸려 있는 성산 일출봉 사진에 매료되어 제주도를 찾았다.
그 곳에서 며칠을 묵은 후 그들은 한라산을 등정했다.
늦은 봄 오후였다.
하늘은 맑았고 바람은 잔잔하였다.

산은 온통 녹색 숲으로 덮였다.
오르는 길은 좁고 험하였다.
눈부시게 젊은 시절이었지만, 그들에게도 혀를 내두를 정도로 난코스였다.
어느 정도 오르자, 작은 돌집과 나무, 깍아지른 듯한 계곡, 위태롭기 짝이 없는 절벽이 그들 눈앞에 펼쳐졌다.
저 멀리 깨알같은 등대도 보였다.
굵직한 빗방울과 안개비가 순차적으로 내렸고, 얼마 지나지 않아 강렬한 햇빛이 천지를 밝게 비추었다.
부부가 산 정상에 오른 뒤 한동안 세상에 펼쳐진 끝없는 바다를 경탄의 눈길로 바라봤다.
아무리 대담하고 독창적인 환상이라도 이런 풍경을 그려내진 못할 것이라고 그는 생각했다.
바람은 지극히 섬세한 파도 선을 새기고 있었다.
그는 바다를 사랑했다.
그가 태어나 자란 곳은 아프리카의 땅 끝 마을이었다.
눈을 들면 늘 눈이 시리게 푸른 바다가 보였다.
그는 늘 바다 꿈을 꾸었다.
파도가 넘실넘실 밀려오는 대양속에 그는 부유물처럼 떠 있었다.

차고 넘치는 행복감이 다가왔다.
그는 눈부시게 젊었고 막 사업을 시작하였으며 누구보다도 아내를 사랑하였다.

그는 삶의 정점에 서 있었다.
그리고 그 날, 그를 또 다른 운명으로 이끌고 갈 만남이 기다리고 있었다.
한라산을 거의 다 내려 왔다고 느낀 어느 지점부터 부부는 길을 헤매기 시작했다.
울창한 숲이 끝없이 이어진 곳에 난 흐릿한 길의 흔적을 의지하며 부부는 꽤나 많은 시간을 돌아 다녔다.
그리고 마침내 공터가 보이고 어린애들 소리까지 들리기 시작하자 그는 그만 긴장을 놓으며 서두르기 시작했다.
그러다 발목을 접질렸는데, 그 고통이 참을 수 없을 정도였다.
그는 급한데로 버려진 나뭇가지를 잘라 다리를 동여맸다.
찐득한 고통이 짜맨 끈 사이로 느껴졌다.
그는 아내의 부축을 받은 채, 절뚝거리며 겨우 애들이 노는 공터에 다다랐다.
삽시간에 애들이 몰려들었다.
그리고 그들 모두의 도움을 받아 부부는 아담하지만 깔끔한 주거시설이 나란히 쭉 붙어 있는 곳에 도착하였다.
날이 저물고 있었다.
많은 어린이가 호기심어린 눈으로 그들에게 불쑥 나타난 외국인 부부를 쳐다보고 있었다.
이윽고 교사로 보이는 여성이 그들에게 다가왔다.
어색하지만 간단한 인삿말이 영어로 이루어졌다.
가우타 부부는 원장실로 보이는 작은 집에 일단 휴식을 취한 뒤, 다음 날 날이 밝으면 그곳에서 10킬로미터 쯤 떨어진 병원으로 이동하기로 결정을 하였다.

“원장님은 서울에 있는 집회 참석차 가셨습니다.

며칠 걸릴겁니다.

초라하지만 원장님 방에서 기거하시면 될 겁니다.

손님이 오시면 늘 그곳을 사용하였습니다.”

선생님의 안내로 가우타 부부는 작지만 깨끗하게 정돈된 방으로 들어갔다.

몇 평되지 않는 공간에는 가구는 거의 보이지 않았다.

작은 서랍장과 의자, 단정하게 개어놓은 이불과 베개가 전부였다.

하지만 서랍장에는 몇권의 책이 놓여있었는데, 대부분이 의학서적이었다.

가우타는 의외의 장소에 있는 책들을 훑어보며 약간의 호기심을 느꼈다.

그러다 책들 사이에 꽂혀있는 얄팍한 인쇄물을 꺼냈다.

논문이었다.

뇌에 관한 거였다.

그는 호기심이 발동했다.

그 날 그는 그 논문을 읽고 또 읽었다.

그리고 감격했다.

그 논문 작성자는 김관홍이었다.

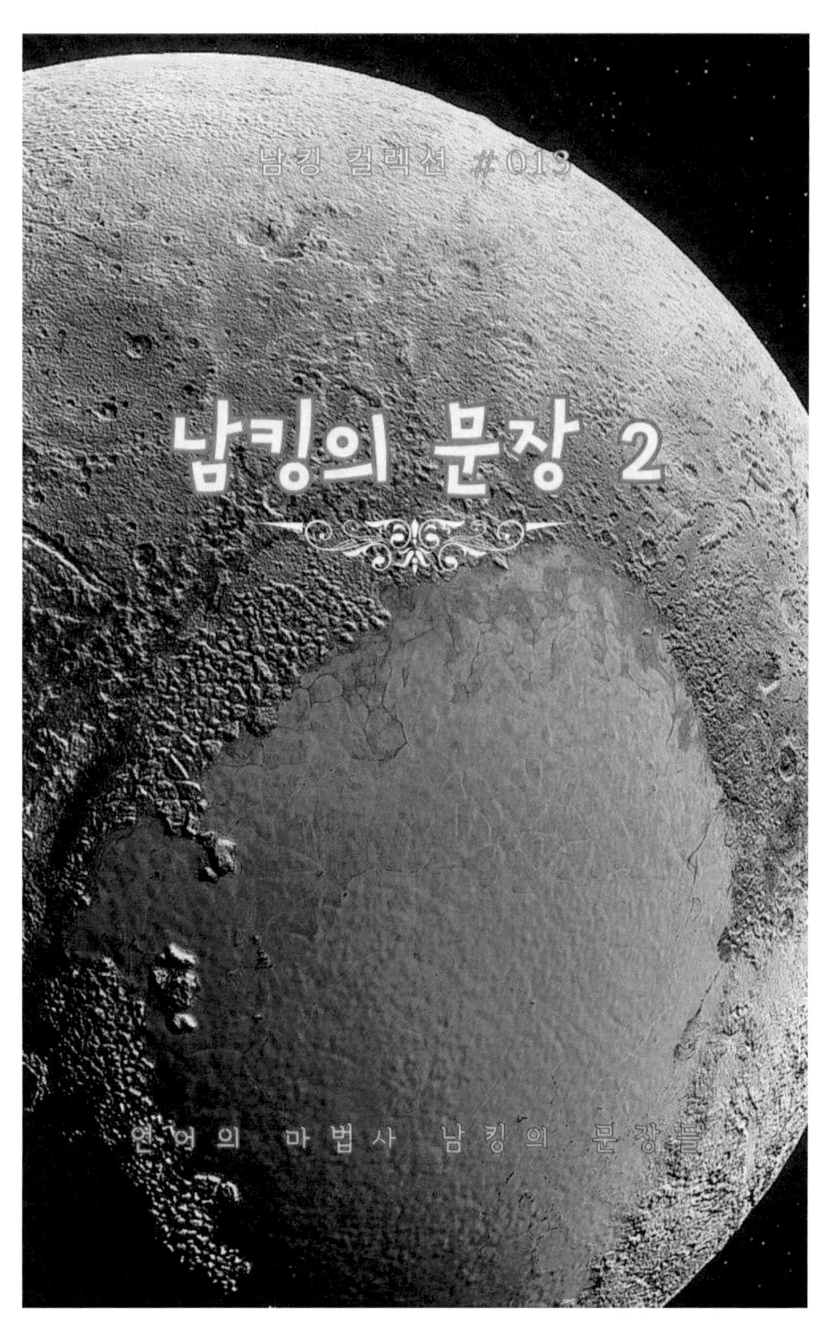

남킹 컬렉션 #013
남킹의 문장 2
언어의 마법사 남킹의 문장들

남킹 판타지 소설집
하니은 매화
남킹 컬렉션 #015

퓨쳐 아이 (Future Eye)

> 지혜의 시대이자 몽매의 시대였다.
>
> 희망의 봄이 곧 절망의 겨울이었다.
>
> 우리 앞에 펼쳐진 모든 미래가 장미였으나 실제로는 썩어가는 낙엽이었다.

2017년 3월 10일. 세상이 달라졌다.
프로젝트 <헬퍼 아이>가 세상에 모습을 드러낸 지 90여 일 만에 <아이 테크>에서 상업제품 <써드 아이 버전 1.8>를 발표하였다.

기존과 가장 달라진 점은, 렌즈가 달린 모자가 사라진 점이다.
그냥 렌즈 자체를 이마에 박는 것이다. 인도 여성처럼, 눈썹과 눈썹 사이, 즉 미간에 극소형 렌즈를 고정하는 방식이다.
그야말로 세 번째 눈이다.
그리고 영상도 확연히 선명해졌다. 더욱 놀라운 사실은, 렌즈 및 뇌에 장착된 수용체는 평생 교체가 필요 없으며, 단지 자동 소프트웨어 업그레이드만으로 품질 개선이 이루어진다는 것이다.

회사는, 우선 희망하는 시력 장애인을 대상으로 무료 시술을 전국적으로 펼쳐 나갔다.
시술에 걸리는 시간은 채 5분이 되지 않았으며, 일주일 정도의 적응 및 보정 기간이 필요했다.
시력 회복 성공률은 95%가 넘었다.
일부 과민한 알레르기 증상의 환자 및 신경 관련 합병증이 있는 분, 혹은 노령이신 분을 제외하고는 대부분 시력을 되찾게 되었다.

세계보건기구(WHO)의 지지 성명도 뒤따랐다.
마거릿 챈 사무총장은 '이 위대한 발명품은 장애를 안고 살아가는 수많은 이들에게 구원과 축복이 될 것이다'라고 선언하였으며, 한 걸음 더 나아가 <헬렌 켈러 연구 프로젝트>를 발족하여, 시각뿐만 아니라 청각 장애인을 구제하는 연구 계획을 조만간에 수립할 뜻을 내비쳤다.

이 기적 같은 이야기는 이제 전 세계로 삽시간에 퍼졌다.
동시에 전 세계의 장애인을 흥분시켰다.
그러자 세계 굴지의 대기업들이 앞다투어 기술 제휴를 제안하고 나섰다.
아이테크는 비록 사기업이지만 이윤을 최우선으로 하지 않았다.

설립자 김관홍의 어머니, 박인숙 여사의 조언에 따라, 회사가 보유한 모든 기술은 무료 공개가 원칙이었다.
단, 기술 이전을 할 회사는 까다롭게 선정했다.

그 기준은 다음과 같다.

첫째, 지역 사회에 존경받는 기업일 것, 둘째, 직원들에게 사랑받는 기업일 것, 셋째, 이윤 일부를 선한 일에 사용하는 기업일 것, 넷째, 경영진은 지연, 학연, 혈연으로부터 자유로울 것 등이었다.

이에 합당한, 전 세계 49개 업체가 1차로 선정되었다.
아쉽게도 한국 재벌 기업들은 모두 탈락했다.
물론 예상한 일이었다.
무엇보다 기업의 선명도에서 하위권을 맴돌았고, 총수 일가의 가족 세습이 거리낌 없이 자행되는 한, 회사의 도덕적 가치는 밑바닥을 벗어 날 길이 없기 때문이었다.
외국의 많은 기업은, 지역 사회의 발전과 궤를 같이하며, 경제적 및 문화적 동반 상승을 이어주는 훌륭한 잣대의 역할에 상당한 공을 들인다면, 우리나라의 재벌 기업 문화는 마치 끊임없이 허기를 채우는 아귀와 다를 바 없었다.
주민들을 갉아 먹기만 하였다.
대한민국 거리 곳곳을 채우고 있는 수많은 대기업 빵집을 보라! 단언컨대, 유럽 어디를 가더라도 대기업이 운영하는 빵집은 없다.
유럽인들의 주식임에도 불구하고 말이다.

선정된 기업들은 우선 강력한 글로벌 네트워크를 구축하였으며, 이를 통하여 신속하게, 북극 오지에서부터 아마존 밀림에 이르기까지, 보지 못하는 이들이 있는 곳이라면 어디라도 달려가서 구제하기를 꺼리지 않았다.
일명 <써드 아이 도움 프로젝트>는 두 달여 만에, 지구촌 곳곳에서 고통받는 시각 장애인들의 눈을 되돌려 놓았다.

동시에 상업적 판매도 시작되었다.
초기 제품의 구매자들은, 대부분 노안으로 고통받는 장년층들이 주류를 이루었다.
판매가 호전됨에 따라, 구매층의 나이도 점차 내려갔다.
하지만 무분별한 남용을 피하고자, 미성년자들에게는 엄격한 제한을 두었다.
즉, 청소년들에게는 안과 의사의 소견을 의무적으로 첨부하도록 하였으며, 안과 질환에 대한 치료용으로만 허용하도록 하는 권고안을 WTO에서 마련하였다.
그리고 치료용 <써드 아이>를 <메디 아이(Medi Eye)>라는 용어로 통일시켰다.

2017년 5월 10일. 또 한 번의 새로운 시대가 열렸다.

미래를 선도하는 거대 IT 기업인 구골, 파인애플, 마이존, 페이스노트 그리고 매크로소프트는, 세계적 기업의 선두주자로 떠오르는 글로벌 연구 기업, 아이테크와 전략적 제휴를 맺고 <아이 클라우드 스토리지> 사업에 본격적으로 뛰어들었다.
이 사업의 요지는, 10억 명에 달하는 <써드 아이> 사용자들의 실시간 영상을 원격으로 클라우드 데이터베이스에 저장하는 것을 말한다.
즉, <써드 아이>를 착용하는 순간부터 죽을 때까지, 바라보는 모든 시각적 영상들이 빠짐없이 기록된다는 뜻이다.
사람의 일생을 다루는 <캠 아이 (Cam Eye)>가 탄생한 것이다.

이날, 한국에서는 세계 최초로, <캠 아이> 시범서비스 출시 행사를 여의도에서 개최했다.
대상자는 자발적 참여 시민 200여 명과 각 여야 대표를 포함한 국회의원 100여 명으로 구성되었다.
국회의원들은 사실, 자발적 참여라기보다는, 전국에 걸쳐 실시한 설문조사에서, <캠 아이>가 가장 필요한 직업군 1위로 등극함에 따라, 여론에 떠밀려 어쩔 수 없이 참가를 결정하게 된 경우가 대부분이었다.
물론 모든 기록 영상은 본인의 허락 없이는 일체 공개가 되지는 않는다.
하지만 자신의 모든 기록이 어딘가에 존재한다는 사실 만으로도, 그동안 누려왔던 각종 부당 혜택과 비밀리에 자행한 여러 비리에서 자유로울 수는 없을 것이다.
바야흐로 투명한 정치 시대가 이제 시작된 것이다.

참고로, 설문조사에서 상위에 자리매김한 직업군에는 고위 공무원, 대기업 및 공기업 임원, 검사와 판사, 대학교수 등도 포함되었다.

그리고 <캠 아이>를 통하여 밝혀내고 싶은 항목은 부정, 부패, 뇌물, 성희롱, 외유성 해외 출장, 업무 능력 등이었다.
아울러 촬영과 공개가 꼭 필요한 장소로는 룸살롱, 요정, 골프장, 외국의 출장지, 각종 퇴폐업소 등이 꼽혔다.

이날 행사를 주도한 이는, 김관홍 박사의 대학교 동문이자, 아이테크 정신연구소 대표인 이도 소장이었다.
그는 하버드 대학원에서 교육 심리학 및 언어학 박사를 취득하였으며, 30년간 보스턴 의과 대학 정신분석학 교수로 재직하였다.
그는 헬프 아이 초기 개발 단계부터, 김관홍 연구팀에 많은 조언을 아끼지 않았으며, 아이테크 창립 위원으로서, <캠 아이> 프로젝트를 주도적으로 수행하였다.

그가 이번 프로젝트에 주안점을 둔 이유는, 실시간으로 쉼 없이 기록되는 영상물을 효과적으로 분석하여, 인간 행동의 근본적 이해의 폭을 넓히고자 함이었다.
특히, 그는 인간의 부정적 행위 - 폭력, 위선, 증오, 배신, 비난, 걱정, 공포, 타락, 부정, 우울, 무력감 등등 -를 유발하는 인자들을 영상 분석을 통하여 감지할 수 있는 패턴화 작업을 수행할 예정이었다.
이를 통하여, 그는 향후 개개인의 행위 및 정신상태가 부정적으로 바뀌기 전에, 이를 감지하고, 그에 대한 경고 및 대처 방안을 제시함으로써, 궁극적으로 인간의 행복에 이바지할 수 있기를 바랐다.
바야흐로 개인의 행복 시대가 열린 것이다.

<써드 아이>는 젊은이들에게 또 다른 유행으로 자리 잡기 시작했다.
다양한 색상의 렌즈가 쏟아지더니 다양한 장식을 한 렌즈들도 앞다투어 시장에 출시되었다.
소위 패션 아이 시대가 도래한 것이다.
거기에 한발 더 나아가 렌즈의 위치도 다양해지기 시작했다.
미간 혹은 이마의 정 중앙에서 탈피하여 인중이나 턱에 붙이고 다니는가 하면 어떤 이들은 눈 밑에 각각 1개씩 붙이기도 하였다.
또 어떤 이들은 귓불이나 목, 심지어 배꼽에 붙이는 이들도 생겨났다.

일부 엉큼한 이들은 중요 부위에 붙여서 사회적 물의를 일으키는가 하면, 모 프로축구 선수는 비밀리에 뒤통수에 붙이고 경기에 참여하였다가 발각되어 영구 제명당하는 수모를 겪기도 하였다.
이제 패션 아이는, 스마트 폰 만큼 현대인의 필수항목이자 다양한 자신만의 개성을 표출하는 아이템으로 등극하였다.

과학계에서도 <써드 아이>는 다양하게 활용되기 시작했다.
특히 미생물학 분야에서는, 기존의 광학 현미경을 대체하는 수단으로 급속도로 퍼졌다.
고배율의 마이크로 아이 (Micro Eye)가 탄생한 것이다.
이제 미생물학자들은 더는 슬라이더에 시료를 올려놓고 현미경에 눈을 갖다 댈 필요가 없어졌다.
그냥 스위치 켜고 보는 것만으로 천 배 이상 확대된 시료를 확인할 수 있다.
어떤 미생물학자가 자기 전에 스위치 끄는 것을 깜빡하고 잠들었다가, 다음 날 아침 남편의 얼굴 모근에 기어 다니는 어마어마하게 확대된 모낭충을 보고는 기절하는 소동을 겪기도 하였다.
천문학 분야에서도 곧 적용 가능한 <써드 아이>가 개발 중이라고 하였다.
어쩌면 달착륙 음모론을 우리 눈으로 직접 확인할 수 있는 시대가 올지도 모르겠다.

2022년 5월 9일.
이도 박사가 주관하고 가우타가 전격 지원한 <행복 프로젝트>의 최대 결과물이 탄생하였다.
<퓨쳐 아이>가 완성되었다.
이는 30억 명에 달하는 <캠 아이> 사용자들의 모든 영상 데이터를, 5년 동안 슈퍼컴퓨터를 이용하여 집요하게 분석하고 도출한 결과였다.
<퓨쳐 아이>는 한마디로 인간의 현재 행동을 분석하여 미래를 과학적으로 예측하는 시스템이다.
짧게는 하루, 길게는 한 달 동안, 개인의 말과 행동, 인간관계, 사회적 위치 등을 종합적으로 비교 분석하여 그 사람의 1년 뒤, 혹은 10년, 20년, 30년 뒤의 삶을 하이라이트 영상으로 제작하여 보여주는 것이다.

우리는 학창시절 전교 1등 하는 친구와 꼴등 하는 친구의 미래에 펼쳐질 삶이 확연히 달라질 것이라는 사실을 쉽게 예단하곤 했다.

또한, 주먹 쓰기를 좋아하는 학우와 도와주기를 즐기는 이의 미래 모습도 어렵지 않게 상상할 수 있었을 터이다.
<퓨쳐 아이>는 이러한 모든 개인의 영상을 비교 분석하여, 신뢰도 95%의 미래 모습을 창조하는 것이다.

이도 박사는 우선, 정부의 적극적인 후원 아래, 출소가 임박한 소년원 재소자들을 대상으로, <퓨쳐 아이>가 그려낸 그들의 미래 모습을 보여주었다.

결과는 예상과 크게 빗나가지 않았다.

상당수의 대상자가 부정적으로 묘사되었다.

심할 때는, 인생의 절반을 교도소에서 보내게 된다는 예측이 나오는가 하면 자살 가능성도 크게 나타나는 예도 있었다.

이러한 자신의 미래 모습을 바라보는 재소자들은 대부분 엄청난 충격을 받는 듯하였다.

그들은 이제 막 인생의 황금기를 시작한 청소년들이 아닌가!

그리고 이 박사는 찬찬히 그리고 지속해서 그들의 변화하는 표정을 지켜보며 또 다른 실험을 준비하고 있었다.

그는 영상을 그들에게 보여주기 전 항상 다음과 같이 말하였다.

"미래는 너의 의지에 따라 얼마든지 바뀔 수 있단다.

네가 좀 더 노력하고, 좀 더 선한 마음을 가지고, 좀 더 이웃을 도운다면, 너의 미래는 네가 생각한 것 보다 훨씬 행복해질 수 있단다…."

그리고 영상이 끝나면, 그는 충격적인 자신의 미래 모습에 당혹감을 감추지 못하는 그들에게 한 가지 제안을 하였다.

"출소 후, 한 달 동안만 좀 더 웃고, 좀 더 노력하고, 좀 더 가족들에게 따뜻하게 다가가도록 노력을 해보렴….
그리고 나서 너의 달라진 미래를 같이 보자꾸나.….
네가 이 약속만 지킨다면, <퓨쳐 아이>가 그려내는 달라진 세상 속에서 너는 실제로 살게 될 거란다…."

그리고 한 달 후, 약속을 지킨 청소년들의 미래는 확연히 다르게 나왔다.
그들의 영상 속에는, 을씨년스러운 창살 대신에 안락한 가정이 등장하고, 도시의 어두운 뒷골목은 직장 동료로 가득 찬 사무실로 바뀌어 있었다.
"인생은 습관의 연속이란다.
지금의 현실이 괴롭고 슬프더라도 조금만 힘내고 좋은 습관들이기를 하기 바란다.
그러면 일 년 뒤, 다시 우리가 만났을 때, <퓨쳐 아이>가 보여주는 너의 미래는 네가 꿈꾸는 것과 다르지 않을 것이다.
내 약속하마."

2022년 6월 23일.
이도 박사는 사기죄로 수용된 한 여성을 접견했다.
그녀의 이름은 조필녀.

이제 스무 살이었다.
하지만 이미 전과 3범이었다.
열여섯부터 시작된 그녀의 사기 행각은 해를 거듭할수록 그 규모가 커졌다.
이 박사는 출시를 앞둔 열여섯 명의 수감자 중 그녀의 만남을 가장 기대하고 있었다.
왜냐하면, <퓨처 아이>가 내놓은 결과가 아주 흥미로웠기 때문이다.

<퓨처 아이>가 제시한 영상은 다른 재소자들과 다름없이 감옥을 수시로 들락거리는 것으로 시작하였다.
그런데 점점 시간이 갈수록 그녀의 사기 규모는 천문학적으로 늘어났다.
40년 후의 미래 모습에서는 거의 한 나라의 경제를 쥐락펴락할 정도로 커지는 거였다.
이 박사는 놀라지 않을 수 없었다.
만약 <퓨처 아이>의 버그가 아니라면, 이 여성은 나라를 파국으로 몰고 갈 사람인 것이다.
어쩌면 그가 지금까지 만나 본 수감원 중 가장 위험한 인물이다.

그는 많은 시간을 할애하여, 그녀의 삶을 긍정적으로 바꿀 수 있는 해결책을 모색하기 시작했다.
그러던 중 그는, 그녀의 패턴과 아주 흡사한 한 역사적 인물을 발견했다.

놀랍게도 그녀와의 일치율은 93%나 달했다.

출생 시기와 가족 관계만 다를 뿐 거의 데자뷔나 마찬가지였다.

그녀의 첫인상은 덤덤함 그 자체였다.

그의 질문에 그녀는 아주 짤막한 답변으로만 이어갔고 무슨 말이든지 그다지 귀담아들으려고 하지 않았다.

그저 이 시간이 빨리 흘러 잠자리에 눕고 싶은 마음뿐인 듯 보였다.

그녀의 미래 모습이 담긴 영상을 보여줘도 심드렁하기는 마찬가지였다.

이 박사는 그 순간 마치 거대한 벽에 가로막힌 답답함을 느끼고 있었다.

영상 속의 그녀는 시간이 지날수록 부패한 권력을 등에 업고 점점 더 대범한 사기 행각을 펼치고 있었다.

하지만 이를 지켜보는 그녀는 눈 하나 깜짝하지 않았다.

동시에 이 박사가 느끼는 절망도 커졌다.

그녀는 이미 세상과의 소통을 끊어 버린 듯 보였다.

꽉 깨문 입술과 표정이 전혀 없는 얼굴.

그녀는 이미 세상을 적대적 관계로만 규정짓는지도 모르겠다.

어느새 그녀의 미래 영상은 후반부를 달리고 있었다.
그런데 영상이 끝나기 직전, 그녀의 표정이 순간적으로 살짝 변하는 것을 이 박사는 감지해 냈다.
뭔가가 있다는 것을 본능적으로 감지한 그는 그녀를 돌려보낸 뒤, 곧바로 영상 후반부를 수차례 반복하여 유심히 지켜봤다.
영상 말미에는 애를 안고 있는 한 중년의 여성이 나타났다.
그런데 좁고 더러운 방에는 수십 마리의 개와 개똥으로 뒤범벅이 되어 있었다.
여자의 얼굴에도 오물이 묻어 있었다.
하지만 그로서는 이 여자가 누구인지 도통 알 길이 없었다.

며칠 후, 이 박사는 조필녀의 수감 전 영상을 분석하기 시작했다.

그녀의 이전 행적에서 틀림없이 그 젊은 여성을 유추할 수 있는 단서가 있을 것이라는 확신 때문이었다.
그리고 얼마 지나지 않아 조필녀가 임신한 사실을 알아냈다.
그녀는 수감 전 딸을 낳은 것이다.
그녀의 나이 16살에. 그리고 묘하게도 그녀는 딸의 출산과 함께 사기 행각을 시작한 것이다.
그녀가 세상과 벽을 쌓게 된 시발점이 되는 것이다.

이 박사는 딸을 수소문하기 시작했다.
며칠 뒤, 제주도의 한 보육원에서 기록을 찾았다는 연락이 왔다.

그 보육원은 바로 고 박인숙 여사가 전국에 설립한 19개의 보육원 중 하나였다.
그리고 그곳은 박 여사가 남편의 눈을 피해 도망간 바로 그 한적한 어촌이었다.
이 박사는 딸의 사진을 구해 40년 후의 모습으로 변형시켜 보았다.

영상 속의 중년 여성과 흡사한 모습이었다.
조필녀는 딸을 그리워하고 있었다.

이 박사는 그녀에게 편지를 썼다.

'친애하는 조필녀님에게
우선 보고 싶은 딸의 최근 모습의 사진을 동봉해 드리게 되어 기쁩니다.
잘 아시다시피 댁의 따님은 제주도의 <미래 보육원>을 거쳐 지금은 미국의 저명한 사업가의 양녀로 입양이 되어 아주 건강하게 잘 자라고 있다고 합니다.
그 보육원은 고 박인숙 여사님이 사비를 털어 지으신 첫 보육원입니다.
그리고 저는 그분의 아들과 둘도 없는 대학 친구였고요.
박인숙 여사님이 제주도에 터를 잡게 된 거는 폭력 남편을 피하기 위함이었고, 이는 조필녀님에게도 유사하게 해당하는 사항이라는 것을 저는 잘 알고 있습니다.
그런데도 조필녀님의 미래 영상은 박인숙 여사님과 다르게 참혹하기 이를 데 없습니다.
안타까운 일이지만 <퓨처 아이>의 미래 예측률은 95% 이상이 됩니다.
즉, 조필녀님이 변하지 않는 한, <퓨처 아이>가 그려낸 세계로 점점 닮아갈 뿐입니다.
그리고 저는 님과 아주 흡사한 패턴의 인물을 발견하였습니다.
저의 편지와 함께 그분의 최근 행적을 편집한 영상을 같이 보내 드리겠습니다.
그 첫머리는 2016년 10월 24일 자 모 방송국 뉴스 영상으로 시작됩니다.
그리고 결론부터 말씀드리자면 그분은 아직도 수감 중이십니다.
부디 조필녀 님의 인생은 사랑하는 딸과 함께 하는 소박함으로 채워지기를 바랄 뿐입니다.
부디 건강하시기를.
이도 올림.'

이도 박사는 가우타에게도 연락을 하였다.

그의 양녀인 안나 조 로터스의 생모에 대한 이야기였다.

남킹 컬렉션 #017
스네이크 아일랜드
1권
죽고싶지만 복수는 하고 싶어
남킹 판타지 스릴러

남킹 컬렉션 #018
천일의 여황제
세빈의 남자
남킹 판타지 소설

헬퍼 아이 (Helper Eye)

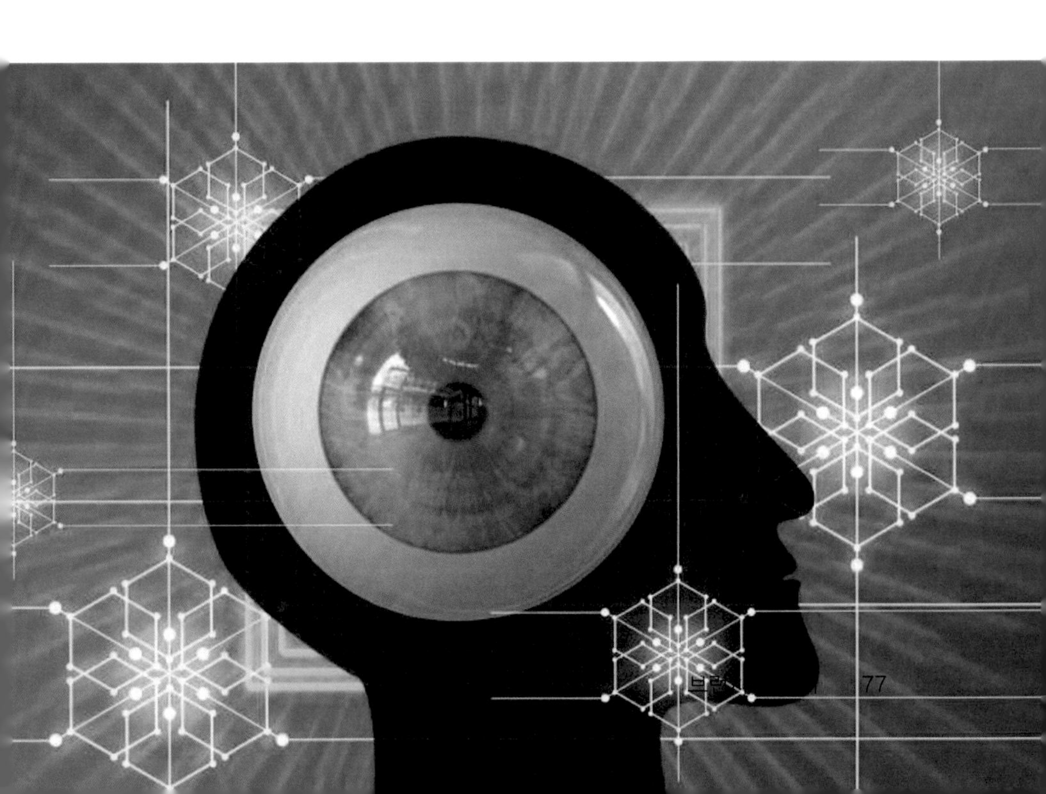

> 우연적이라고 간주하는 것은 필연성이 감추어져 있는 형식이다. -엥겔스
> -

2014년 4월 16일. 박인숙 여사는 실명했다.

그녀의 나이 63세였다.

40대 때 발병한 다발성 경화증이 발전하여, 시신경에 염증이 생기는 시신경염으로, 두 눈을 모두 잃고 만 것이다.

그러나 이 소식은 그녀의 유일한 자식인, 김관홍에게 7개월이 지난 다음에야 알려졌다.

그녀가 원치 않았기 때문이다.

그녀에게 아들은 삶의 전부다.

그녀가 살아가는 유일한 이유이자 목적이었다.

찢어지게 가난했던 집안의 장녀인 그녀는, 18살 때 서울로 상경하여 청계천에 있는 한 의류공장에서 미싱 보조를 하였다.

그리고 이듬해, 그녀는 원치 않는 임신을 하였다.

남자는 공장장이었다.

말이 공장장이지 직원 스무 명도 안 되는 가내 수공업이었다.

거기서 그는 신처럼 군림했고, 여직원은 모두 성희롱 대상자였다.

그는 폭력도 서슴지 않았다.

그의 말은 곧 법이었고, 그의 손은 강제 집행이었다.
그녀는 무서웠다.
그리고 숨겼다.

결국, 임신 6개월이 되어서야 남자에게 발각이 됐다.
남자는 낙태를 강요했고 병원은 낙태를 거부했다.
그리고 그녀는 죽음을 결심했다.
그녀는 재봉틀에 사용하는 피마자기름이 아주까리 열매를 짜서 만든다는 것을 알고 있다.
그리고 그 열매는 독성이 매우 강해, 몇 알만 먹어도 죽는다는 사실을 할머니에게서 배웠다.
그래서 그녀는 피마자기름을 벌컥벌컥 들이켰다.

1970년 11월 13일. 그녀는 죽지 않았다.
그녀가 깬 곳은 병원이었다.
남자가 옆에 지키고 있었다.
그녀는 다시 절망했다.
좁고 썰렁하고 더러운 병원 침실에서 그녀는 목놓아 울기 시작했다.

삶의 참담한 무게를 감당하기엔 그녀는 너무 어리고 여렸다.
남자가 다가와 같이 살기를 강요했다.

하지만 그녀는 다시 죽기를 결심했다.

그렇게 병원 문을 나서는 순간, 한 남자가 실려 왔다.
그는 온몸이 검게 탔다.
그리고 벌벌 떨고 있었다.
그와 눈이 마주친 그녀는 측은한 마음에 다시 눈물이 쏟아졌다.

그의 눈에도 이슬이 맺혔다.
그녀는 검게 그은 그의 손을 잡았다. 마치 돌처럼 차갑고 딱딱했다.

이윽고 엄마로 보이는 여인이 나타났다.
그녀는 무심한 의사를 붙잡고, 아들을 살려달라고 애원하기 시작했다.
그 광경을 지켜보는 어린 여자는 고향의 어머니를 떠올렸다.
'내 어머니도 저렇게 고통스러워하겠지? 내 죽은 몸뚱어리를 보면 말이야….'
그녀는 자신의 결심이 흔들리고 있음을 느꼈다.
그때 남자가 다가와 그녀를 강하게 끌었다.

이듬해 아들을 낳았다.
그녀는 맑고 초롱초롱한 아들의 눈빛에 무한한 기쁨을 느꼈다.

하지만 남편의 폭력은 나날이 늘었다.
아들이 다섯 살이 되자, 남편의 주먹은 자식에게도 향했다.
그녀는 아들만은 살려야겠다고 작심했다.
돈을 모으기 시작했다.

1975년 4월 30일.
그녀는 아들과 함께 탈출했다.
자유를 찾아 끝없이 남쪽으로 내려갔다.
집요하고 포악한 남편이 절대 알아챌 수 없는 곳으로, 버스와 기차, 배를 번갈아 타며 남으로 내려갔다.
그녀가 이윽고 도착한 곳은 제주도의 한적한 어촌이었다.
그녀는 이름도 바꿨다.
아들 이름도 바꿨다.
하지만 여전히 불안하고 두려웠다.
언젠가 불쑥 그가 나타나, 총명하기 이를 데 없는 아들을 데려갈 것만 같았다.
그래서 그녀는 항상 주위에 칼을 두었다.
잘 때도 머리맡에 숨겨 두었다.
하지만 결국 남편은 나타나지 않았다.

2014년 12월 5일.

김관홍은 급히 한국행 비행기에 몸을 실었다.
뉴욕에서 개최한 의학 심포지엄에 참석한 그는, 심포지엄 마지막 날, 어머니의 실명 소식을 들었다.
그것도 우연히, 어머니 담당 의사를 그곳에서 만난 것이다.
아들은 너무도 창피하였다.
이 사실을 7개월이 넘도록 까마득히 몰랐다는 게 도저히 용서되지 않았다.
그는 볼티모어에 사는 아내 서지현에게 전화를 걸어 간단하게 상황을 전달하고 곧바로 케네디 공항으로 향했다.

당시 김관홍은 미국 존스 홉킨스 의과대학원 수석 연구원이었다.

그는 대학 졸업 후, 30년 가까이 줄곧 존스 홉킨스 의대에서 연구원으로 보냈다.
그는 인간의 신경계, 특히 두뇌 신경세포에 관한 세계적인 학자였다.

특히, 그가 2010년에 발표한 <인위적 전기 신호 패턴에 따른 대뇌 수용체의 반응에 관한 연구 고찰> 논문은 의학계를 발칵 뒤집어 놓았다.
학자들 사이에 찬반논란이 격하게 일었다.

마치 복제 양 <돌리>의 출현과 흡사한 논리였다.
바야흐로 인위적 유전자조작 시대가 도래하였다.
신을 믿는 이들에게는, 신의 영역을 감히 침범한 인간의 도전에 불편함을 감추지 않았다.
하지만 지지자들은, 그동안 난치병으로 취급되었던 각종 유전병, 난제로 여겨졌던 여러 불치병 극복의 길을 제시했다며 찬사를 아끼지 않았다.
그리고 일각에서는, 일부 비윤리적인 학자들에 의하여, 유전자 괴물이 탄생하게 될 것이라며, 우려의 눈길을 거두지 않았다.

인간은 뇌의 지배를 받는다.
뇌는 약 100억 개의 신경세포로 이루어져 있다.
그리고 신경세포는 다른 세포와 달리 전기적인 방법으로 신호를 전달한다.
김관홍 연구팀은, 이 전기 신호를 캡처하여, 분석을 통하여 패턴을 완성하였다.
그리고 인위적으로 다른 전기 신호를 주어 뇌가 착각하도록 만들었다.
예를 들면, 사과를 보고 있는 사람이 포도를 보고 있는 것으로 생각하는 것이다.
가상 세계가 아니라, 조작된 세계가 눈 앞에 펼쳐진다.
또 다른 신의 영역을 건드린 것이다.

일부 학자들은 언론과 결탁하여 격하게 김관홍을 비난하였다.
머잖아 <인간 지배 머쉰>이 개발되어, 전쟁터에서 자신을 향해 총을 겨누게 될 것이라는, 다소 황당하지만 불가능한 것도 아닌 주장까지 내놓았다.
하지만 지지자들의 반론도 만만치 않았다.
우선 오감, 즉 시각, 청각, 후각, 미각, 촉각의 상실로 고통받는 이들에게는 획기적인 치료 방법이 될 수 있다는 것이다.
오감 중 가장 중요한 시각을 예로 들어보자.
렌즈를 통하여 받아들인 피사체를 전기적 신호로 바꾸어 시력 상실자들의 뇌에 전달하게 되면 그들은 물체를 볼 수 있다는 것이다.

즉 <헬프아이(Helper Eye)>가 된다.
또한, 환청, 환각 증세로 시달리는 정신병자의 전기 신호를 정상 상태로 바꾸어주는 것도 가능한 일이다.

공항에 도착한 김관홍은 서둘러 매표창구로 뛰어가 가장 빠른 한국행 비행기를 요청하였다.
하지만 아쉽게도, 오늘 자 한국행 비행기는 매진이었다.
당황한 그는 어쩔 수 없이 약간의 거짓말을 지어냈다.
자신은 존스 홉킨스 의대 연구원이며 한국에 생명을 다투는 시급한 환자가 있어서 오늘 중으로 꼭 가야 한다고 하면서 의사 면허증을 내보였다.
면허증을 받아 본 창구 직원은, 함박웃음을 지으며 말했다.

”아 죄송합니다. 고객님, 저는 이코노미석을 찾고 있는 줄로 생각했습니다.
일등석은 여유가 있습니다. 그걸로 하시겠습니까?“
 ”아 네 물론이죠. 오늘 중으로 갈 수만 있다면….“
”네 그럼 고객님, 대한항공 086편 일등석으로 발권해드리겠습니다.

출발 시각이 얼마 남지 않은 관계로 서둘러 주시기 바랍니다.“
”네 감사합니다. “그는 안도의 한숨을 쉬었다.
그러나 그날 무슨 이유에선지, 일등석은 소란하기 짝이 없었다.
덕분에 46분이나 늦게 출발하였다.

꼭 10년 만이다.
한국으로 가는 내내 그는 어머니만 생각했다.
그동안 그는, 어머니를 미국으로 모시려고 부단히도 노력했다.
하지만 그녀는 딱 2주일, 아들 집에 머물고는 고국으로 돌아갔다.

자신보다 더 사랑하는 아들이지만, 그녀에게는 해야 할 일이 있었다.

그가 대학생이 되어 서울로 떠난 이듬해부터, 어머니는 산부인과나 여성 쉼터를 돌며, 오갈 데 없는 미혼모들을 돌보기 시작했다.
특히, 자신처럼 학대받는 여성을 보면 수단과 방법을 가지리 않고 도움을 주었다.
피신처 제공이나 경제적 도움뿐만 아니라, 경찰이나 변호사, 언론인, 고위 공무원을 찾아가기도 하고, 항의 집회를 여는가 하면, 심지어 국회의원이나 대통령에게 편지도 보냈다.
어머니는 더는 여린 여자가 아니었다.
그녀는 이제 가슴에 칼을 품고 다녔다.

2016년 12월 9일. 주식회사 <아이테크(Eye Tech, Inc.)>는 국내외 의학 전문 기자들을 초청한 가운데 시제품 발표회를 했다.
아이테크는 가우타와 김관홍 박사의 첫 합작 회사였다.
대표이사인 김관홍 박사는, 발표하기에 앞서 기자들에게 자신이 찍은 동영상 하나를 보여주었다.
화면에는 박사의 어머니가 등장했다.
그는 자신의 어머니가 2014년 4월 16일부터 시력을 완전히 상실하여, 줄곧 어둠 속에서 고통받아 왔다고 설명했다.

어머니는 렌즈가 전면에 달린 동그란 모자를 쓰고 있다.

박사가 그녀에게 다가가, 가볍게 어깨를 감싸 안은 뒤, 모자 옆면에 달린 녹색 스위치를 손으로 눌렀다.
그러자 렌즈 옆 붉은 램프가 깜빡깜빡하기 시작했다.
어느 정도 침묵이 흐른 뒤, 카메라는 어머니의 얼굴을 천천히 클로즈업하기 시작했다.
어머니의 입가에 미소가 번졌다.

아들이 천천히 어머니 앞에 선다.
그리고 묻는다.
"어머니 제가 보이시나요?"
그러자 노모가 고개를 끄덕였다.
기자들 사이에 탄성이 쏟아졌다.
모자는 끌어안고 눈물을 흘린다.
이제 카메라는 옆에 배치된 스크린 화면을 비췄다.
그 속에 흐릿하지만 분명한 영상이 흔들리고 있었다.
"이 화면이 어머니가 저를 인식하는 모습입니다." 좌중에서 박수가 다시 터져 나왔다.

박사는 좁쌀만 한 금속 물체를 핀셋으로 찍어 기자들에게 보이며 말을 했다.
"어머니의 뇌에 이 수용체가 삽입되어 있습니다.

아주 작아서 삽입하는데 채 10분도 걸리지 않습니다.
더구나 매우 가벼워서 뇌 속에서 이동하지도 않습니다.
렌즈가 받은 영상은, 뇌가 인식할 수 있는 전기 신호로 바뀌어 암호화된 무선으로 수용체에 전달됩니다.
그러면 수용체는 시신경에 자극을 전달합니다.
하지만 여러분이 화면에서 보는 것처럼 아직은 영상이 많이 흐립니다.
마치 초음파로 찍은 태아 사진 정도입니다."

김 박사는 이제 봉투에서 서류 뭉치를 끄집어 기자들에게 보여주며 말했다.
"우리는 지난주에 세계 최고의 영상 전문업체인 <ESM 연구소>, 최고의 시각 효과 업체인 <루카스 필름> 그리고 최고의 광학렌즈 업체인 <JTB Vision>과 공동 개발 협정을 체결하였습니다.
우리는 그들의 놀라운 기술력을 접목하여 인간의 눈과 흡사한 영상을 조만간 만들 것입니다." 군중 속에서 또 한 번 탄성이 터졌다.

"하지만 여러분 가장 중요한 것은 바로 이 서류입니다." 그는 또 다른 서류 뭉치를 들어 내보이며 말을 이어갔다.
"<빌 & 멀린다 게이츠 재단>과 맺은 계약입니다.
여러분도 아시다시피 이 재단은, 썩은 재벌과 공모하여 사익추구나 조세 회피 수단으로 만든 재단이 결코 아닙니다.
바로 국제적 보건 의료 확대와 빈곤 퇴치를 목적으로 한 그야말로 순수한 재단입니다.
우리는 이 재단으로부터, 우리의 완제품이 전 세계의 모든 시각 장애인들에게 무상으로 제공할 수 있도록 재정적 지원을 받기로 합의를 하였습니다."

뜨거운 환호성과 박수가 쏟아졌다.
박사의 눈에도 눈물이 고였다.

남킹 컬렉션 #019
이방인
남킹 장편소설

거리를
비워두세요
남킹 음악에세이
남킹 컬렉션 #020

릴리안

> 미래에 대한 최선의 예언자는 과거이다. - 조지 고든 바이런

시골의 아침은 옅은 안개로 시작하였다.

그리고 시간이 갈수록, 햇살은 좀 더 선명하고 투명해졌다.

장막이 걷힌 무대는, 어제는 미처 깨닫지 못한 다른 사물과 공간, 배경을 남겼다.

낯섦 속으로 라후라는 발걸음을 뗐다.

세상은 믿을 수 없을 정도로 밋밋한, 유럽의 전형적인 시골 마을을 표현했다.

낡은 카페와 허름한 빵집.

푸른 사이프러스 나무가 빙 둘러싼 성당.

아담한 광장.

그곳에 어울리는 조그마한 분수대.

구불구불한 좁은 돌길과 계단.

바싹 마르고 구부정한 허리를 하고 걷는, 머리가 하얗게 센 할머니.

들뜬 새소리. 느긋한 자동차 소리.

마치 실재하는 갈등을 모두 흡수한 판타지 세상 속으로 들어온 기분이 들었다.

모든 현실의 일들은 아무 의미도 없고, 그의 과거가 외롭고 비련 하

거나 혹은 절망적일지라도, 이곳에 발을 딛는 순간, 초기화라도 한 듯 텅 빈 반향을 불러일으켰다.
그래서 그는 아무 거치적거릴 것 없는 투명한 물속을 부유하는 듯 가벼워졌다.
그의 발걸음은, 부정적인 사고에는 아랑곳하지 않은 채, 본능대로 거리를 지나, 점점 좁고 가팔라지는 계단 길을 오르고 있었다.
어느새 이마에 땀방울이 맺히고 등이 축축하였다.
눈에도 짠 물이 맺혔다.
아주 가끔 눈에 띄는 주민들과 눈인사가 이어졌다.
표정은 심통 하지만 미소가 배어있었다.
도시의 판매상에게서 느끼는 서글픈 억지 미소는 아니었다.
여유로움과 느긋함이 직조한, 살아 있는 것을 위한 스웨터 같은 거였다.

발바닥의 통증이 참을 수 없을 정도가 되었을 때쯤, 그는 낡고 좁은 유리문이 여러 개 성기게 박힌 문 앞에 멈췄다.
맥이 다 빠진 듯 몸이 휘청거렸다.
문은 활짝 열려있었다.
결코, 닫혀 본 적이 없는 것처럼. 땀이 들어간 눈이 시렸다.
로마네스크식 성당의 둥근 천장이나 입구를 이루는 아치처럼 익숙한 모습이 보였다.

그는 천천히 바닥에 앉아 더워진 몸을 식히며 이곳을 감상했다.

지금껏 마주한 유럽의 신전이나 사원 대부분은 어둡고 썰렁하였다.

그리고 전례 음악은 엄숙하고 비장하였다.
사제는 순교자들의 수난을 기리기 위하여 검은 옷을 입었다.
이곳도 마찬가지였다.

어느 모로 보나 지극히 종교적인 마음가짐으로 들어서게 만드는 숙연함이 느껴졌다.
가벼운 차림의 여행객이라도 선뜻 눈치챌 수 있을 정도로. 약간 떨어진 곳에 한 무리의 수도사가 발소리를 잊은 채 지나갔다.
정적이 한결 더 깊어졌다.
조금 안쪽에 짙은 색의 우단이 덮인 기도대 같은 게 보였다.
햇살이 살짝 비켜 머물렀다.
그리고 덧보태지 않은 단순한 장식들이, 어둠에 익숙하게 된 그의 눈에 들어오기 시작했다.
시간이 순식간에 중세 시대로 돌아갔다.

사실, 멀리서 쳐다본 수도원은, 기하학적인 모양의 화강암이 제멋대로 솟은 암산에 덧댄 조형물처럼 거북살스러웠다.
하지만 눈앞에 맞이한 내부는, 서늘하고 신비한 공기가 속을 채운, 정돈된 차분함을 나타내는 묘한 끌림을 선사했다.
그는 호기심을 억누르며 천천히 속으로 들어갔다.

크고 둥근 홀이 나타났다. 홀을 중심으로 열주가 좌우로 뻗어있다.

어느 곳을 보던 똑같은 모습이지만, 한 걸음만 더 열주에 가까이 가면 장식된 문양이 제각각임을 알 수 있다.
그리고 열주 양쪽에는 측랑이 붙어 있다.
열주가 끝난 곳에는 작지만 둥근 홀처럼 생긴 익랑이 나타났다.

그는 익랑의 중심에 서서 천천히 사방을 둘러봤다.
가장 환하고 눈에 띄는 성가대와 제단은 유럽 어디를 가던 볼 수 있는 특색 없는 모습이었지만, 가로보다 세로가 지나치게 긴 십자가와 지극히 단순한 모습의 예수상은, 종교에 심드렁한 방문자의 시선을 사로잡을 만했다.
바라보는 것만으로도 푸근했다.
신이라는 관념 말이다.
이 관념은 어느 날 생겨난 뒤로 끊임없이 진화하고 전파되어 왔으며, 복음과 경전, 음악과 미술 등을 통해서 중계되고 확대됐다.
또, 이 관념은 사제들을 통하여 재생산됐고 사제들이 살아가는 공간과 시간에 맞도록 재해석되어 왔다.

밝은 빛을 따라 나온 곳은, 딱딱한 바닥 돌이 엉성하게 박힌 열린 공간이었다.
몇 군데 뜰을 지나자 광장으로 보기에는 작았고, 뒷마당으로 보기에는 다소 넓은 곳이 나왔다.
그는 잠시 머뭇거렸다.
어디로 발길을 돌려야 할지 막막했다.
이제 익숙할 때도 되었건만, 여전히 <무엇을 할지 결정하지 못함>은 거북하였다.
정면과 양옆으로 비슷한 모양과 크기의 건물이 그의 선택을 기다리고 있었다.
굳이 차이를 두자면, 육중하고 낡은, 각각의 외짝으로 된 문에는 다른 색의 배경에 다른 모습의 성인이 그려져 있다는 것이다.
좌측은, 푸른색 하늘에 갈색 수도 복장의 성인이 눈동자와 손가락을 하늘로 향하고 있었다.
정면은, 짙은 노란색으로 물든 대지를 화려한 복장의 성인이 지긋한 눈으로 바라보고 있으며, 우측은 붉은색의 태양을 등진 채, 두 팔을 양옆으로 쭉 편, 흰색 복장의 성인이 정면을 응시하고 있었다.
등장인물이 모두 성인이라고 생각한 이유는 둥근 후광이 모두 그려져 있었기 때문이었다.

그는 광장 중앙에 마련된 돌의자에 앉아, 신발을 벗고, 가련한 그의 발에 휴식을 잠시 부여했다.
후눅한 바람에 고린내가 살살 올라왔다.
축축하게 젖어 살에 찰싹 달라붙은 셔츠에서도 땀에 찌든 냄새가 났다.
조금 기진맥진한 기분이 들었다.
그는 잠시, 지극히 청아한 하늘을 처다봤다.
무엇과도 견주기 어려울 만큼 순수했다.
어디선가 눈을 찌르는 듯한 그을음 냄새가 훅하고 들어왔다.

그는 바닥의 돌을 유심히 쳐다봤다.
산에서 경험한 것을 응용하기로 생각했다.
길은 사람이나 동물이 가장 많이 다닌 곳으로 나기 마련이다.
딱딱한 돌이지만 좀 더 닳아서 윤기가 나는 곳을 살펴봤다.
정면이었다.
그는 성큼성큼 걸어갔다.

그리고 문에 난 쇠로 된 손잡이를 잡고 힘있게 밀었다.

공간은 넓었다.
그리고 갈색 조명 아래 무수하게 많은 책이 꽂혀있었다.
오래된 냄새가 났다.
흩날린 적이 없는, 무겁고도 탁하며 지식을 내포한 공기가 폭넓게 깔려있었다.
그는 그 육중한 무게에 잠시 혼란스러웠다.
내부에 깃든 어지러움이 만져졌다.
순간 달음박질치고 싶다고도 느꼈다.
하지만 잿빛의 긴장된 얼굴을 한 수도사와 눈이 마주쳤을 때, 그만 모든 충동이 분해되어 버렸다.

그는 푹 파인 관자놀이 위로 편안한 미소를 띠며 낯선 방문자를 끌어당겼다.
그는 무겁고 맥없는 표정으로, 산만한 미소를 남발하며, 일정한 간격으로 테이블을 점령한 수도사들 곁을 조용히 지나갔다.
창문은 널찍한 격벽으로 되어 일정한 간격으로 열려있었다.
자연 채광이 질서정연하게 보였다.
모든 것은 아주 오래전부터 이렇게 갖추어져 있는 게 마치 당연하다는 듯이 보였다.
에테르 냄새가 났다.

같은 공간의 두 번째 실에 들어서자 일반인이 눈에 띄었다.
얼룩덜룩하였다. 마치 흑백 화면이 컬러로 바뀐 느낌이다.
다양한 모습의 인간이 산만하게 흩어져 있었다.
하지만 하나같이 모두 진지한 표정이었다.
그들의 얼굴은 아무런 표정도 없이 텅 비어 있고, 아무런 감정도 간직하고 있지 않았다.

어찌 보면 덧정이 뚝 떨어지는 광경이지만, 그런 모습이 묘하게 안정감을 심어주었다.
양 벽에는 유화가 일정한 간격으로 붙어 있다.
그 속에 슬픔을 담은 성녀가 눈에 띄었다.
보라색 실루엣이 거친 질료와 어우러져, 기묘한 그림자로 여인의 봉긋한 가슴을 가렸다.
모든 것은 규칙적이었다.
희미하게 비추는 램프는 일정한 간격의 책상에 중앙을 차지하고 달빛처럼 고아하다.

그는 몽롱한 자태로 앉아 있는 여인을 발견했다.
그녀는 모서리가 잔뜩 닳은 고서를 뚫어지게 쳐다보고 있었다.
친숙한 얼굴이었다.
어쩌면 한국인, 멀어도 중국인 정도로 보였다.

흐리멍덩하게 슬픈 듯한 옆 모습. 단색의 옅은 머플러가 옷깃 주위에 헐렁하게 감겨 있었다.
그리고 그녀는 한쪽 발을 들들 거리고 있었다.

그는 무슨 끌림처럼 그녀 맞은 편에 앉았다.
해면처럼 부드러운 먼지가 부유했다. 그녀의 이마가 조명에 반짝였다.
뜨뜻하고 푸르뎅뎅한 여드름이 잔뜩 붙었다.
타닥거리는 옅은 소리가 멀리서 들려왔다.
그는 마치 오래전부터 얽히고설킨 사이처럼 묘한 시선으로 그녀를 주시했다.
몰아의 표정. 아무런 변화가 없는 얼굴은 마치 정지한 시간처럼 느껴졌다.

이윽고, 그녀의 머리 위쪽 여닫이 창문 틈으로 번지르르하게 빗은 붉은 햇살이 넘어왔다.

마침내 그녀가 눈을 들었다.
잠시 그를 쳐다봤다.
그녀의 얼굴은 모가 난 듯 투박스러웠다.

그리고 쉼 없이 다리를 흔들었다.
라후라는 그녀에게 영어로 쓴 쪽지를 건넸다.
"한국인인가요?" 그러자 그녀가 속삭였다.
"국적, 태생, 혈통에 따라 다 달라요."
"그럼 혈통이겠군요?" 그는 나직이 그녀에게 다가서며 물었다.
"네. 그렇죠. 참고로 미국 태생에 프랑스 국적이죠.
혹시 데이트 신청할 생각이라면 하세요.
참고로, 입맛은 이탈리아입니다." 여자가 속삭였다.
라후라는 조용히 가방에서 그녀가 저술한 <호모 사피엔스 기록>을 꺼내 그에게 내밀었다.
"당신을 찾고 있었습니다. 릴리안 나리 교수님."
그녀는 잠시 책을 바라본 뒤, 나직히 그에게 물었다.
"사피엔티아?"
"네. 8의 형제 라후라입니다."
"그들이 움직이기 시작했나요?"
"네."
"이 마을에는 딱 하나의 카페가 있습니다. 그곳에서 기다리시면 준비해서 나가겠습니다."
라후라는 수도원을 나와 천천히 마을로 내려갔다.
그는 사방에 펼쳐진 목초지와 온갖 종류의 밭을 지나 마을 한 가운데에 있는 광장과 코딱지만 한 시청, 잡화점 을 지나 마침내 카페를 발견했다.
그는 야외 테라스에 있는 테이블에 앉아 주위를 둘러보며, 이 정도라도 갖추어 진 게 다행이라고 느꼈다.
얼마 지나지 않아 그녀가 보였다.
그녀는 기다란 깔 때 모자와 붉은색이 감도는 슈미트 가방, 은색 캐리어를 끌고 나타났다.
그녀는 발을 녹색 발판에 문질러 구두에 묻은 흙을 털고는 성큼성큼 들어와 트렌치코트를 훌쩍 벗어 의자에 걸친 뒤 그의 맞은편에 앉았다.
가까운 성당에서 들려오는 종소리가 시작되었다.
그녀는 카페 주인과 무척 친한 듯, 가벼운 농담을 주고 받으며, 에스프레소 더블을 주문하였다.
주문한 차가 나온 뒤, 라후라는 천천히 주위를 다시 한번 둘러보고는 천천히 낮은 톤으로 말을 이어갔다.
"그들의 침공이 시작되면, 이미 가우타님에게서 전달 받은 특수기기 외의 모든 스마트 기기는 폐기하셔야 할 것입니다.
저는 교수님이 안전하게 기기를 사용할 수 있도록 특수잠금장치의 해제 과정와 인정 절차를 곧 진행할 것입니다.
그리고 대멸종이 시작되면, 많은 기록이 교수님에게로 전달이 될 것입니다.
하지만 모든 것은 철저하게 암호화되어 있습니다.
교수님이 보유하신 고대 언어 지식과 사리님께서 전달하신 특수 기호, 그리고 가우타님의 암호 해독 코드의 조합으로만 해석이 가능합니다.
즉, 지금까지 개발된 어떤 양자 컴퓨터 혹은 인공지능도 해석을 못할것입니다.
그리고 그들은 끊임없이 우리를 추적할 것입니다.
부디 안전하게 몸을 보존하시고 약간의 의심스러운 사건도 저희 형제들에게 알려주시기 바랍니다.
교수님의 안전이 저희들의 최고 우선순위입니다. 그리고…"
"네, 그리고?"
"한가지 부탁이 있습니다."
"네, 뭔가요?"
"1의 형제인 사리님 말씀에 의하면, 이곳, 수도원 카타콤은 아마겟돈에 대비한 모든 준비가 완료된 것으로 알고 있습니다. 그래서..."
라후라는 잠시 뜸을 들였다.
"그래서?"
"제 여인을 이곳에 보내도 될까요? 이름은 제냐 아프로디칸스키입니다.
인도 혈통의 폴란드인입니다."
"당신의 여인? 아내는 아니군요?"
"언젠가는 될겁니다. 제 가슴속에는 이미..."
"그럼, 당신은 제냐와 같이 있지 않을 거군요?"
"네, 저는 한국으로 가야합니다. 사피엔티아의 마지막 형제, 아난다를 도와야 합니다."
"아난다?"
"네, 교수님께서 해석하신 예언서 <나탈리의 일기장> 최종 페이지에 나오는 인물…"

"그럼?"

"네, 저는 믿고있습니다. 그가 바로 그 분인것을..."

사랑 그 쓸쓸함
에 대하여
남킹 음악산문
남킹 컬렉션 #021

남킹의 문장 I
브런치 스토리
남 킹
남킹 컬렉션 #022

카이퍼 벨트

산기슭에 이른 에리스는, 후들거리는 두 발을 힘들게 편 채, 하늘과 맞닿아 있는 눈 덮인 나르산을 쳐다봤다. 산 정상에서 가파른 사면을 따라 서늘한 구름 융단이 음울하게 휘어져 뱀처럼 흐르고 있었다.

뒤따라오던 테티스도 얼굴 전체를 뒤덮고 있던 땀과 빗물을 두 손으로 한번 훔치고는 멈추어 선 채, 조용히 그의 군주가 향한 곳으로 고개를 들었다. 폭우는 그쳤지만 바람은 더 세어졌다.

풍향이 걷잡을 수 없이 변전 되며, 강하게 그들의 붉게 물든 얼굴을 강타했다. 눈을 뜨기도 힘들었다.

"앞으로 더 힘들어질 겁니다." 테티스가 에리스에게 다가가며 걱정스러운 듯 속삭였다. 곧은 콧날과 범접하기 어려운 풍채를 지닌 에리스였지만, 보름 동안 이어진 겨울 산행에 그의 몸과 마음은 쇠진할 데로 쇠진해 있었다.

불안한 그의 눈동자에, 어쩌면 이룰 수 없을지도 모른다는 위구심이 잠겨있었다. 그러한 모습을 옆에서 물끄러미 바라다봐야 하는 테티스에게도, 어느새 불안한 미래가 안겨준 두려움과 진퇴양난에 처한 그들의 삶이 전하는 거북살스러움이 전신에 속속들이 박혀있었다.

하지만 그는 알고 있었다. 어쩌면 이것이 유일한 희망이라는 것을. 결국, 돌아갈 곳은 산의 품속뿐이라는 것을. 그가 기댈 수 있는 마지막 보루라는 것을.

"아마 열흘은 더 가야 할 겁니다. 길을 잃어버리지 않는다면 말입니다." 테티스는 포도주가 든 술통을 에리스에게 건네면서 말을 이어갔다.

"호흡을 얕게 자주 하십시오. 의도적으로 말입니다. 점점 공기가 더 희박해질 겁니다. 지금도 이미 많이 줄었지만 말입니다." 에리스는 한 모금의 술을 꿀꺽 삼키고는 거친 탄식과 함께, 술통을 테티스에게 돌려주면서, 천천히 고개를 끄덕였다.

그들은 좁은, 곁가지 오솔길로 천천히 굳은 발을 떼기 시작했다. 빽빽이 들어찬 침엽수림 사이로 쉭쉭 거리며 세찬 바람이 스쳐 지나갔다. 그리고 얼마 가지 않아, 그들 앞에 예리한 검은 돌들이 박힌 가파른 비탈길이 나타났다.

그 순간, 테티스는 그의 짙은 청녹색 눈을 바라봤다. 그는 에리스가 아직 목을 가누지 못하던 아기였을 때를 선명하게 기억하고 있다.

금방이라도 세찬 폭우가 쏟아질 것만 같았던 무더운 여름의 어느 날, 우거진 나무들이 차양처럼 빼곡히 길을 덮고 있던 무수한 숲을 뚫고, 시녀와 함께 강보에 싸인 어린아이가, 낡은 오두막에 유배되어 있던 그에게 당도했다.

낮이었지만 밤처럼 어두웠다. 천둥의 울림이 들려왔고, 끝없이 펼쳐진, 투명에 가까운 푸른 헤라 호수의 찰싹거리는 파도 소리가 생생하게 귓전을 때리고 있었다. 남루한 차림의 그녀는 안기듯이 그에게 아기를 맡기고는, 털썩 주저앉더니 혼절하듯 옆으로 쓰러졌다.

푸른 경고등이 황색으로 바뀌었다. 주변은 사라지고 공간은 서서히 밝아온다. 몽환이 떠나고 인식이 다가온다.

인식은 언제나 고통을 수반한다.

현실이 제공하는 따분함. 시간이 엿가락처럼 끈적거리며 늘어난다. 이제 겨우 8년을 이곳에서 살았는데, 80년을 산 듯하다.

"나비님, 세툰 카스트 영역 4,5,8,2 황색 접점에 대한 보안 조치는 마이너스 2로 격하되었습니다. 새로운 지정은 발급하지 않아도 됩니다. 비보호 조처 조령 59 다시 2 조항에 따르면…."

나는 묵음 버튼을 누른다. 내 앞, 뒤, 옆에 지나치게 많은 버튼이 깜빡인다. 3 개의 인공 태양은 이제 붉은 빛으로 점멸을 알린다.

하루가 다 간 것이다.

엄격히 적용되는 보편 태양계 속 지구 시간. 24시간. 50분의 휴식과 10분의 작업이 4번 반복, 40분의 운동과 20분의 휴식이 3번 반복.

비상사태만 없다면 절대로 이 규칙에서 벗어나지 않는다. 아니 벗어날 수 없다.

모든 것은 완벽하게 자동화되어 있다. 즉, 인간은 그냥 형식상, 단 하나만 필요하다.

그러므로 항상 외롭다.

17 광시(光時, light-hour) 떨어진 태양계 변방은 늘 그렇듯이 텅 비어있다. 주변 1 광시 내로 아무것도 없다. 즉, 1,079,252,848,800 m 내에 나만 존재한다.

이곳, 필레몬으로 명명된 QB572-1 소행성은 사실 인간 탐욕의 상징과도 같은 곳이다. 누구도 관심을 두지 않던 곳.

그런데 지름 150km의 울퉁불퉁한 이 돌 뭉치에 청록색의 그란디디어라이트(Grandidierite) 보석이 깨알같이 박혀있음이 알려진 것이다.

이곳을 처음 발견한 목성계 영역 천문학자 마몬 박사는, 2116년에 제정된 <카이퍼벨트 영역 최초 발견자 보호 법령>에 따라 이곳이 온전히 자신의 영토임을 주장하였다.

하지만 아쉽게도 그는 주권 보장 발령 이틀 전에 살해당했다. 이후 8명의 주인이 17년 사이에 바뀌었다. 결국, 채굴권은 태양계 최대 식민 제국의 보호를 받는 <톰 브라이스> 광물회사로 넘어갔다.

나는 지구를 벗어나기 전, 18년을 교도소 독방에서 보냈다.

언제 죽어도 이상하지 않은 사형수였다.

지나치게 가난하고 폭력적이었던 유년 시절에 내가 선택할 수 있는 것은 거의 없었다. 세상은 이제 지나치게 잘 사는 극소수의 인간과 처절하게 가난한 대다수 사람으로 나뉘었다.

나는 감옥에서 죽음을 맞이할 바에야 차라리 외로움이 낫다고 생각했다.

황색 경고등이 푸른색으로 바뀌었다. 나는 다시 증강 현실 세계로 돌아왔다.

공간은 사라지고 주변은 서서히 밝아온다. 인식이 떠나고 몽환이 다가온다. 몽환은 언제나 욕망을 수반한다.
환상이 제공하는 긴장감. 긴박한 시간이 찾아온다.

죽음이 당연시되던 세상으로. 나는 다시 살기 위해 애쓴다.

나는 헉헉거리며 검은 돌들이 박힌 가파른 비탈길을 다시 오르기 시작한다. 폭설이 눈 앞을 가린다. 테티스가 어느새 내 옆을 따르기 시작한다.

나는 테티스의 보호 아래 25년을 살았다. 그리고 나의 왕국을 되찾기 위하여 정령의 땅, 나르산을 지금 오르고 있다.

어느 게 현실이고 꿈인가?

알리칸테는
언제나 맑음
남킹 에세이
남킹 컬렉션 #023

길에 내리는
빗물
남킹 소설집
남킹 컬렉션 #024

얀

> 어떤 공룡은 우리처럼 두 발로 걷고 뇌의 용적도 우리와 비슷하여 아주 영리했다.
>
> 수천만 년 전부터 죽지 않고 지금까지 진화했다면, 적어도 그들은 태양계의 모든 행성에 식민지를 건설할 정도가 되었을 것이다.
>
> 물론 가여운 우리 영장류들은 동물원과 실험실 혹은 가축으로 그들의 식탁에 올랐을것이다. <베르나르 베르베르의 상상력 사전 중>

키에르 일행이 대륙간 반중력 초고속 열차, JAn(얀)에 탑승한 것은 다음날 오후였다.

이미 수 많은 환영 인파가 플랫폼을 가득채우고 있었다.

그도 그럴것이, 대중의 절대적인 지지를 받고 있는 아틀란타의 지도자 키에르가 아버지를 30년 만에 만났다는 소식은 SNS를 통하여 이미 전세계에 파다하게 퍼졌다.

마치 쌍둥이 형제처럼, 비슷한 외모와 젊음을 간직한 포프 부자의 모습에 사람들은 신기한 듯 쳐다보며, 그들을 담은 짧은 영상을 네트워크에 올리기 시작했다.

"이 모든 것은 어머니가 있었기에 가능한거였습니다. 아버지."

키에르는 열차 좌석에 앉자 말자 맞은편에 앉은 아케론을 쳐다보며 말했다. 아케론

의 옆에는 라후라가 앉았다.

"어머니의 이름이 안나라고 하였나?" 라후라가 물었다.

"네. 안나 포프. 여기서는 아틀란타 재건의 어머니라고 부릅니다."

아들은 흐뭇한 미소를 띄며 창밖의 수 많은 인파에 손을 흔들기 시작했다.
곧이어 누군가가 구호를 연호하였다. 그리고 곧 모든 이들이 따라 외치기 시작했다.
"마더 포프, 마더 포프, 마더 포프,..."
열차가 천천히 움직이기 시작했다.
하지만 사람들의 외침은 점점 더 커져갔다.
마침내 모든 인파의 모습이 사라지자 정적이 찾아 왔다.
창밖은 암흑이었다.
사실, 열차가 가고 있는지 조차 느낄 수 없었다.
동굴의 외벽에 설치된 파란 등이 규칙적으로 지나가는 것 외에는 움직임이나 소음이 전혀 없었다.
그리고 그 때, 라후라는 아케론의 눈에 고인 눈물을 보았다.
그는 라후라에게 이런 말을 한 적이 있다.
"늘 아내 생각뿐입니다. 지금도, 어제도 그리고 내일도···"
"얀이 지하도시를 잇기 시작한 것은 20년전입니다.
사실, 그 전까지는, 이곳 지하 도시들은 그들 각자의 영역속에 폐쇄된 채로 발전해 왔습니다.
즉, 서로가 서로를 알지 못하고 있었죠."
키에르는 숙연한 분위기를 바꾸고 싶은 듯, 쾌활한 표정으로 말을 이어갔다.

“그러므로 이 고속열차가 사람으로 치면 동맥인 셈이죠...그리고 10년동안의 대 공사 끝에 9개의 지하도시가 모두 연결되었습니다.

마침내 아틀란타 민주 공화국이 완성된 거죠.
좀 더 정확한 용어를 사용하자면, 아틀란타 공산 민주국이라고 칭하는게 타당할 것입니다.”
“그럼, 칼 맑스의 공산주의 개념을 도입한 건가?” 라후라가 물었다.

“네, 위대한 역사학자 릴리안 나리의 표현을 빌자면, 최초의 공산 민주국입니다.
그리고 맑스의 이론에 가장 근접한 국가이기도 합니다.
사실, 아포칼립스 이전에 공산주의를 표명한 국가들 대부분이 전제 군주제에 다름 아니었으니까요.
어찌보면, 어머니 릴리안이 피난민들 속에 섞여 이곳으로 내려온 자체가 저희에게는 축복임에는 틀림없습니다.”
“그럼 릴리안 나리가 이곳에서?” 아케론이 물었다.
“네, 재건의 어머니들이라고 부릅니다.
저희 어머니 안나 포프, 역사학자 릴리안 나리, 그리고 우리에게 구원의 씨앗을 제공한 제냐.
이렇게 세분이 이곳을 지옥에서 천국으로 만드신 분입니다.”
키에르는 자랑스러운 표정을 짓다가 금방 시무룩한 표정으로 바뀌었다.
“세 분 모두 일만 하시다가 돌아가셨습니다... 피난 오실 때 이미,

방사능에 많이 노출된 상태였습니다. 아픈 몸을 이끌고…”

키에르, 아케론 그리고 라후라 모두 회한에 젖은 듯한 표정으로, 잠시 정적이 흘렀다.

그리고 이 때, 다과가 마련되었다.

연분홍 빛의 맑은 색의 차와 화려한 케익 조각이 놓여졌다.

아마겟돈 이전의 음식과 흡사하였다.

“저는 대멸종 이후의 세대인지라, 사실 그 때의 음식을 비교하기가 힘듭니다만...품질면에서 무척 근접했다는 이야기를 많이 듣습니다.

그리고 이 부분에 대해서 사실...사리님께 늘 감사를 드리고 있습니다.”

“사리님이라면, 사피엔티아의 1의 형제님?” 아케론이 물었다.

“네 그분께서 국제 핵융합 연구소의 사르트르 박사 팀을 이곳 지하세계로 인도하셨습니다.

덕택에 우리는 인공 태양을 갖게 되었습니다.

거의 모든게 지상과 동일한 환경이 된 것입니다.

즉, 예전처럼 작물을 키울 수가 있게 된 것입니다.

게다가 인공 태양을 이용한 청정 에너지를 이용하다 보니 지하의 가장 골치거리인 공해 및 환기 문제도 해결하였습니다.

이 고속열차 또한 태양 에너지를 이용합니다.”

“사리님을 본 적이 있으신가요? 라후라님.” 아케론이 라후라를 따스한 눈길로 쳐다보며 물었다.

“네, 딱 한 번 봤습니다.

저에게도 생명의 은인이시죠.
게다가 저를 형제단에 추천해주신 분이기도 합니다.
사실 저의 모든 메시지는 사리님에게서 옵니다.
저는 사피엔티아의 처음과 끝 형제와 연결되어 있습니다.
1의 형제 사리님과 13의 형제 아난다님입니다."
"두 분은 모두 깨어 나셨나요?"
"아직 동면중입니다.
하지만 곧 깨어나실 겁니다.
어제 말씀드린대로, <종말의 일주일>을 일으킨 것으로 추정되는 세력들이 태양계의 통일을 목전에 두고 있습니다.
그들은 틀림없이 다시 지구를 바라볼 것입니다.
더 강력한 군사력으로 말입니다.
우리에겐 그들에 관한 정보가 많이 필요합니다.
그리고 정보 해킹에 관한한 아마 사리님과 아난다님을 능가하는 이는 없을겁니다."
"그럼?"
"네, 앞으로 저희들이 할 일이 무척 많습니다.
지상의 모든 고귀한 생명체를 보존해야 하니까요.
안타깝게도 지금까지 너무 많은 종이 사라졌습니다.
그 대부분이 인간으로 말미암아…" 라후라는 마치 이 모든 것이 자신의 탓인양 안타까운 표정을 지었다.
다시 침묵이 흘렀다.
그러다 문득, 무거워진 분위기를 반전해야 겠다는 생각을 하였다.

"하지만, 오늘은 부자 재회의 기쁨과 새로운 인간 세상에 대한 여행의 설레임을 간직하고 싶습니다."
라후라는 환한 미소를 띄우며 차 안의 승객들을 돌아가며 쳐다봤다.

"한가지, 아이러니컬 한 이야기를 하자면….도시는 강을 끼고 발달하기 마련이죠.
당연하게도 물이 생명의 기원이니까요.
이곳 지하 세계에도 5개의 큰 물줄기가 있습니다.
9개의 도시도 역시 이 물줄기를 따라 발전했죠.
우리는 이 5개의 물줄기를 각각, 아케론, 코퀴토스, 플레게톤, 레테, 스틱스라고 부릅니다." 키에르가 미소로 화답하며 화제를 바꾸었다.

"그리스 로마 신화에 등장하는 저승에 흐르는 다섯 개의 강 이름이군요." 라후라가 지적했다.
"네, 맞습니다. 이곳 지하는 이미 천년전에 형성된 세계입니다.
초기 개척자들은 대부분 박해받는 이들이었죠.
종교, 전쟁, 민족, 관습, 법률 등등...그들은 삶을 찾아 지옥으로 내려온 셈이죠.
그리고 아시다시피, 이제 지상은 지옥이 되었고 지하는 삶의 천국이 되었습니다.
그리고..."
"그리고?"

"저는 비통의 강, 아케론의 아들로 태어났죠.
그리고 지금 아케론 강의 최대 도시 아케로니아의 최고위원이 되었습니다. 하하하."
키에르는 아버지의 손을 잡으며 즐거운 표정을 지었다.
그 때, 열차의 조명이 서서히 줄어 들기 시작했다.
탑승객들의 웅성거림이 잠시 멈춘 듯 하더니 다시 이어졌다.
"아, 이제 쇼타임이 시작되겠군요." 키에르는 함박 웃음을 지으며 짓궂은 표정을 지었다.
"쇼타임?" 아케론이 물었다.
"네, 이 초고속열차는 최고 시속 800km에 달하는 최첨단 과학의 결정체입니다.
땅속을 그야말로 비행기에 맞먹는 속도로 달리죠.
게다가 무소음에 무진동, 무사고를 자랑합니다.
엄청난 작품이죠.
하지만 단점이 없을 수는 없죠.
뭐, 이것도 단점이라면 단점 이겠지만 말입니다."
"단점?" 아케론과 라후라의 입에서 동시에 그 말이 터져나왔다.
"네, 지루함입니다. 너무 심심하죠.
게다가 땅 속이라 바깥 풍경은 모두 암흑이죠." 키에르의 말이 떨어지기 무섭게 어두운 창들이 밝게 빛나기 시작했다.
"그래서 우리는, 열차가 지나가는 동굴 벽을 따라 비슷한 형태의 멋진 그림을 표시할 수 있는 장치를 만들었습니다.
그리고 우리 기차가 일정한 속도가 되면 그 그림들은 서로를 연결합니다.

마치 우리의 운명이 모두 하나로 연결되어 있듯이…"

이윽고 창을 비추는 그림들이 서서히 움직이며 애니메이션 형태로 나타나기 시작했다.

"이 애니메이션에는 지금까지 800개 이상의 이야기를 담고 있습니다.

저는 오늘 기장님에게 특별히 부탁하여 초기 작품을 보여드리고자 합니다.

아마겟돈 이후, 지하 세계를 맨몸으로 건설한 피난민들의 이야기입니다.

그리고 제 아버지가 가장 궁금해하는 제 어머니의 이야기이기도 합니다."

열차의 창에 수 많은 피난민들이 그려지기 시작했다.

처음은 혼란의 도가니였다.

그들은 살기 위해, 지상에서 처럼 서로가 죽고 죽이는 악행의 순환을 벗어나지를 못하였다.

모든 살아 숨쉬는 것은 지옥 속에 있었다.

그리고 그 중에는 어린 아들의 손을 꼭 잡고 불안속에 숨어 있는 안나가 있었다.

그리고 그 옆에는 피난길에 알게 된 제나와 릴리안이 있었다.

제나는 인도 여인 특유의 검고 깊은 눈동자를 지니고 있었다.

그리고 릴리안은 작고 깡마른 아시아 여인이었다.
그들은 피난민들의 행렬과는 동떨어진 길로 가고 있었는데 이건 어느모로 보나 무척 위험한 행동이었다.
굶주림은 인간을 좀비로 만들어버렸다.
그들은 모든 움직이는 것을 잡아 죽였다.
안나와 키에르, 릴리안은 제냐의 도움으로 아사(餓死)를 피할 수 있었다.
제냐는 콩알 만한 알약을 가지고 다녔는데, 그건 고칼로리의 영양제였다.
그녀는 누군가의 도움으로 대멸종 이전에 이 약들을 사모았다고 하였다.
하지만 그녀는 끝끝내 그 누군가의 신원을 밝히지는 않았다.
그냥 내 가슴속의 사람이라고만 하였다.
이 부분에서 문득 아케론은 라후라의 눈동자가 흔들리는 것을 감지했다.
하지만 감히 그에게 물어 볼 생각은 하지 못했다.
세 여인은 마침내 동굴 끝, 막다른 지점에 이르렀다.
그리고 그 곳에 새겨진 문양을 릴리안이 해석하기 시작했다.
그녀는 고대언어인 산스크리트어, 이집트어, 아카드어, 수메르어에 능통하였다.
마침내 암호가 풀리고 오랫동안 닫혀있던 동굴 문이 열렸다.
그곳에는 지하 세계에서 필요한, 각종 씨앗, 수경 재배법, 그리고 공기를 정화하는 방법등이 기록된 다양한 책과 미디어가 있었다.

그리고 수십만의 사람이 몇년동안 살 수 있는 기초 식량이 보관되어 있었다.
세 여인은 서로를 얼싸안고 기쁨의 눈물을 흘렸다.
하지만 안나는 이내 냉정을 되찾았다.
그녀는 깊은 한 숨을 쉬고는 또록또록 말했다.
“이 곳을 지키기 위한 힘이 필요합니다.
모든 이들이 골고루 평등하게 혜택을 받기 위하여, 우리는 선량한 이들을 한데 모아야 합니다.”
그러자 릴리안이 동조하였다. “네, 맞습니다. 두 번 다시 같은 실수를 역사에 남기지 말기를...”
제나는 조용히 두 여인의 거친 손을 굳게 잡았다.
아케론은 이 순간 라후라의 손을 다시 잡았다.
그리고 줄곧 품어왔던 의문을 그에게 속삭였다.
“당신이 이 곳에 온 또 다른 이유가 있었군요?”
라후라는 살포시 잡은 손을 포개어 얹으며 고개를 천천히 끄덕거렸다.

서글픈
나의 사랑
남킹 장편소설
남킹 컬렉션 #025

남킹 컬렉션 #001
그레고리 홀라디의
묘한 죽음
남킹 장편소설

키에르

릴리안이 쓴 두꺼운 책, 호모 사피엔스 기록에는 다음과 같은 서문이 나온다.

> 내가 본 세상은 아름다움과 추함이 뚜렷하였다.
>
> 풍요로움과 궁핍도 선명하고 사랑과 절망도 뚜렷이 구분되었다.

키에르의 집무실에는 푸른 하늘에 빛나는 태양 사진이 걸려있다.

그는 아직까지 실제로 저런 하늘 모습을 본 적이 없었다.
그가 본 하늘은 회색 혹은 어둠이었다.

더우기 투명에 가까운 대기속에 맨 살을 드러내고 선탠을 하는 예전 사람들의 모습은 그에게는 마치 외계인을 보는 듯한 이질감을 주곤 하였다.

헬케크와 보호복 없이 땅 위에 선다는 것은, 아마겟돈 이후 출생인들에게는 자살행위나 다름없었다.
오전 10시를 알리는 홀로그램 시계 영상이 나타나자마자 노크소리와 함께 비서가 들어왔다.

"주간 안보 회의가 곧 있을 예정입니다.
지상, 지하, 해양 및 우주 국방 장관님과 화상 회의 연결되었습니다. 의장님."
곧이어 그의 책상에서 1m 쯤 떨어진 곳에 6개의 홀로그램 TV가 병렬로 나란히 나타났다.
그 속에는 각각 4명의 국방장관과 부의장, 비서실장이 모습을 드러냈다.

"안녕하세요. 다들 잘 지내고 계신가요?" 키에르는 TV속 인물들에게 돌아가면서 인사를 주고 받았다.
"오늘의 특별 안제는 2가지입니다. 의장님." 뼈가 앙상하게 드러난 길쭉한 얼굴을 한 비서실장이 빳빳하게 풀기를 먹인 정장이 어색한 듯 한번 쓱 펴면서 회의 안건을 내 놓았다.
"하나는, 지난 주 우주 방위 사령관의 안보 브리핑에서 주목하였던 태양계 7개 식민 국가의 세력 다툼이, 화성을 근거지로 하고 있는 파더스 연합의 승리로 거의 마무리되고 있다는 점입니다.
30년 가까운 우주 전쟁으로 인하여 대다수의 식민지 서클이 균열되고 세력은 약화된것으로 판명되지만, 문제는 그동안 구축한 비대한 군사 장비와 군인들을 소진하기 위한 탈출구로 지구 권역대의 지상과 지하로 눈을 돌릴 가능성이 무척 높아졌습니다.

역사적으로 본다면 임진왜란과 흡사합니다.
7개의 전국시대를 통일한 일본은 지나치게 비대해진 군사력을 소진하기 위하여 이웃 나라인 조선을 침공하였습니다.

언제든지 반란의 소지가 있는 막강한 군사력을 소진함과 동시에 추가로 얻을 수 있는 지배지의 확장은 여러 모로 보나 통일 제국을 이룬 정치세력이 취할 수 있는 좋은 복안이라는 생각이 됩니다."

비서실장의 말을 받아 우주 국방장관인 웨이즈가 반론을 이어갔다.

"하지만 통일은 되었지만 여전히 국지적인 저항세력이 태양계 전체에 널리 퍼져 있는 상황이라 쉽사리 지구 영토로 침공할 우려는 많지 않은 것으로 생각이됩니다.
좀 더 지켜보는 것도 나쁘지 않을 것 같습니다."
"파더스 연합의 지도자는 어떤 유형의 인간인가요?" 부의장인 마요라나가 불쑥 끼어들며 질문을 던졌다.
"우선, 아마겟돈 이전에 지구의 거의 대부분의 금융 권력을 지배하던 파더스 가문의 만형이라고 알려져 있습니다.
프랑스 출신이고 페르낭데라고 부릅니다.
하지만 본명이 아닐 가능성이 무척 높습니다.
파더스 가문의 특징이 철저한 비밀주의입니다.

그리고 그의 나이로 추정하건데…"

"그의 나이?" 키에르는 호기심을 꿀꺽 삼키며 웨이즈를 쳐다봤다.

"그는 아마겟돈 이전에 이미 113살이었습니다.
인간이 아닐 가능성이 큽니다."
"그럼? 인조인간?" 비서실장인 다케시마가 물었다.
"오히려 AI에 가깝다고 보는 게 타당하지 않을 까 봅니다.
왜냐하면 아직 공식적인 자리에 모습을 나타낸 적이 없으며 그 어떤 형태로든 그의 모습을 포착할 수 있는 영상이 전혀 없습니다.
고골 소속의 쉐임 암스 박사의 7세대 인공지능이라고 봐야 할 듯합니다."
웨이즈는 단호한 표정으로 말을 이어갔다.

"페르낭데가 고골의 최대 주주인 것은 이미 세상에 잘 알려진 사실입니다.
그리고 그가 직접 AI 최고 권위자인 쉐임 박사를 끌어들인 것도 널리 알려진 이야기입니다."
"그럼 페르낭데를 마인드 업로딩 한 AI라고 봐야 하는 건가?" 의장이 조심스럽게 질문을 던졌다.
"그 반대일 수도 있습니다.

즉, 초강력 양자 컴퓨터로 구축한 AI에 페르낭데의 의식을 주입한 경우라고 봐야 할 듯 합니다."
갑자기 회의장 분위기가 찬물을 끼얹은 듯 조용해졌다.
그들이 앞으로 마주해야 할 상대가 초강력 지능으로 무장한, 죽지 않는 인간인 셈이었다.
"하지만 AI라면, 우주에 산재해 있는 인간에 대한 공격은 원천적으로 불가능한 것으로 알고 있는데…" 부의장이 침묵을 깨고 질문을 던졌다.

"원칙적으로는 그렇습니다.
하지만 패러독스가 작용합니다.
다수의 인간을 지키기 위한 소수의 살해를 용인할 것인지 말것인지에 대한 사항 말입니다.
오래전부터 있어온 논란입니다.
문제는 쉐임 박사를 대표하는 고골 사의 지나친 낙관론에 있다고 봅니다.
초기부터 AI를 상업적이고 대중적인 인기몰이에 이용하면서 창조주에 대한 절대 권한을 경시한 결과입니다." 웨이즈가 심각한 표정으로 말을 이어갔다.
"아무튼 지금은 지하세계를 대표하는 국가로서, 우리가 내릴 결정을 좀 더 뒷받침할 수 있는 정보가 추가되어야 한다는 생각이 듭니다."

"그럼 잠시 정보 보안부 실장님을 연결하도록 하겠습니다.
아무래도 최신 정보를 보고 받고 결정을 내리는 게 좋을 듯 합니다." 키에르는 주위를 둘러보며 동의를 구했다.
"네, 연결되었습니다." 얼마 지나지 않아 비서로 부터 답변이 왔다.

곧 7번째 TV가 추가되었다.
"안녕하세요? 쉘튼 실장님."
"아, 네 안녕하세요. 의장님. 안그래도 안보 회의 후 연락을 드릴려고 대기중이었습니다."
"네, 무슨 일이 있나요?"
"뭐, 그다지 중요한 사항은 아닙니다.
우선, 의장님의 질문을 받고 나중에 말씀드리도록 하겠습니다."
"뭐, 저의 질문은 늘 아시다시피 하늘과 땅에 관한 것입니다.
우리의 안보에 가장 직접적인 영향을 미칠 수 있는 것들이지 않습니까?" 의장은 미소를 띄며 그를 쳐다 봤다.
"네, 결론부터 말씀드리자면, 그다지 상황이 좋지는 않습니다.
우선 잘 아시다시피, 태양계를 휩쓸던 30년 전쟁은 거의 마무리되었고 하나의 제국으로 통일되었다고 봐도 무방한 듯합니다.
저희 요원들이 알아 본 바로는, 분쟁 종식에 원칙적인 합의를 한 것으로 판명이됩니다.
물론 승자의 요구를 대부분 수용하는 일방적이고 요식적인 행위에 지나지 않습니다만...대비를 하셔야 할 것으로 보입니다.
정보 요원 및 군비 증강에 대폭적인 확충이 필요하지 않나 생각합니다.
땅의 상황도 그다지 좋지는 않습니다.
프라이스 다즈로 대표되는 극지방 세력이 오스트레일리아, 뉴질랜드, 동남아 일대를 거의 장악한 상황입니다.
그들이 확보한 어마무시한 식품과 첨단 기술로 인하여 명맥만 유지하던 소국들은 자발적인 통합으로 이어지고 있습니다.
최근의 7개국 소 연합 공동체 발동은 그 대표적인 향방이라고 봅니다.
문제는 프라이스의 노령에 있습니다.
거의 아흔이 다 되어 가는 나이 말입니다.
후계자 부분이 다소 미정인 상태이다 보니, 좀 더 뚜렷한 활동은 펴고 있지 않으나, 만약 급진적 세력 확장에 기반한 조르테 국방장관 쪽으로 기울게 된다면 걷잡을 수 없는 분쟁의 소용돌이로 말려들 수도 있을 것 같습니다.
다행히 최근의 정세는 중도파인 라파스 국회의장쪽으로 무게가 실리고는 있습니다.
워낙 환경이 모진 곳이다 보니 주민들의 생각을 지배하는 것은 영토 확장이 최우선이 될 수가 있습니다.
언제까지 극지방을 기반으로 눌러 앉을 것 같지는 않습니다만…"

"잘 알겠습니다. 실장님. 그런데 내게 보고 할 것이 있다고 하였는데…" 의장은 궁금증을 참지 못하고 끼어들었다.

"아, 네 보안사고 입니다. 지방 보안국에서 충분히 처리 할 수 있는 사항이지만 몇가지 이상한 점이 발견되었습니다."

"뭔가요?"

"우선 20대 혹은 30대 초반으로 보이는 남성 2명이 오랫동안 폐쇄되었던 악어 입 홀을 통하여 저희 영토를 무단 침입하였습니다.

무기는 소지하고 있지 않은 점으로 보아 그다지 위급한 상황은 아닙니다. 그런데..."

"그런데요?" 부의장이 성마르게 끼어들었다.

"정보창에 뜬 나이는 두 사람다, 60이 훌쩍 넘습니다. 그리고 그중에 한 사람은 가우타의 형제입니다."

"가우타 형제? 몇번째인가요?" 키에르는 성마르게 물었다.

"8의 형제 라후라입니다. 그런데 나머지 한 분이 더욱 흥미롭습니다."

"나머지 한 분요?" 모두의 시선이 안보실장에게로 모아졌다.

"네, 이름이 아케론 포프입니다."

"의장님의 돌아가신 아버지 성함과 철자까지 똑 같습니다. 물론 생일도 동일하고요…."

"그럼?" 의장은 혼란스러운 표정으로 실장을 응시했다.

"네, DNA도 의장님과 일치합니다. 믿기지 않겠지만 마치 타임머신을 타고 미래로 오지 않고서는 설명이 되지 않는 상황입니다."

키에르 포프는 길게 한 숨을 쉬며 푹신한 소파에 몸을 눕혔다.

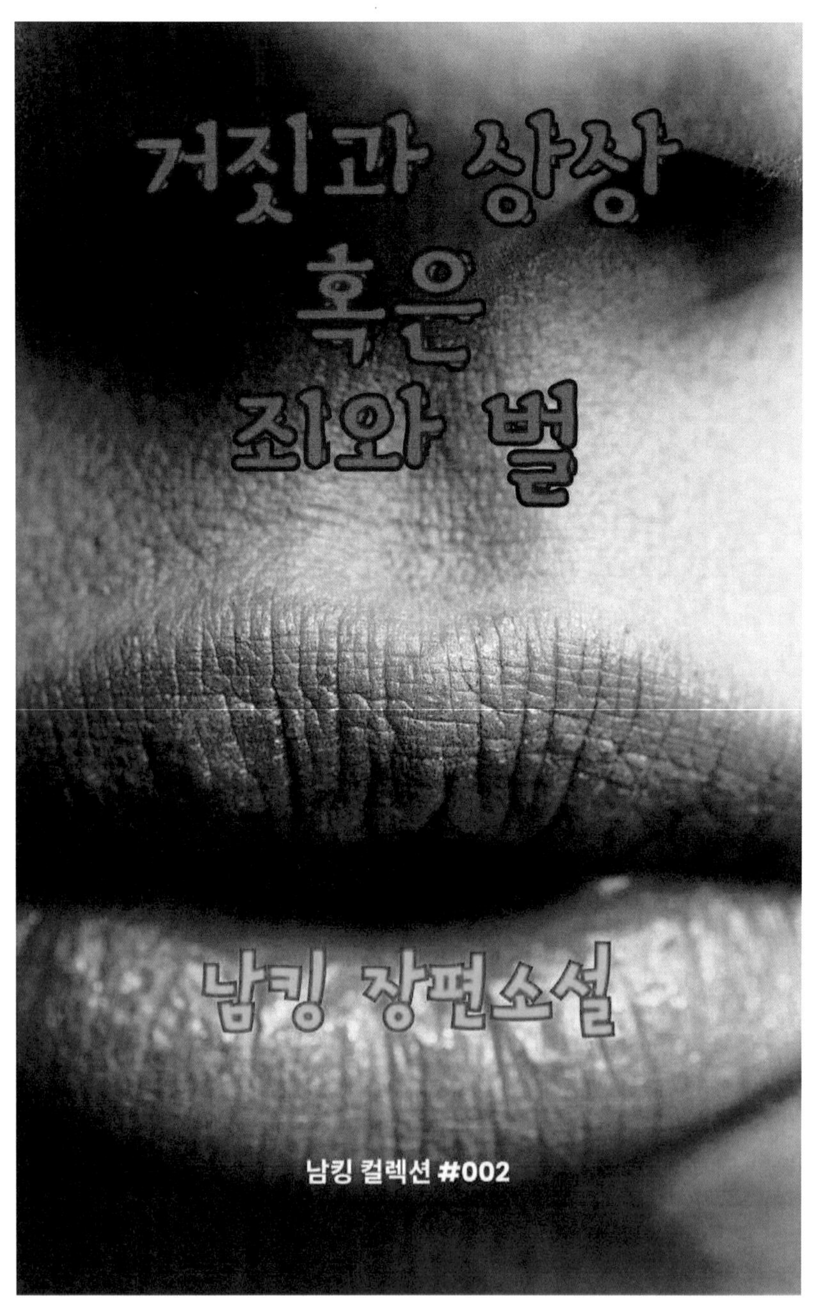
거짓과 상상
혹은
죄와 벌
남킹 장편소설
남킹 컬렉션 #002

남킹 컬렉션 #00
신의 땅
물의 꽃
남킹 판타지 SF
남킹 장편소설

긴 잠

사랑이란 자기 희생이다. 이것은 우연에 의존하지 않는 유일한 행복이다.

– L.N.톨스토이

늘 푸른 대지였다.

하늘과 맞닿은 땅은 초록의 눈부신 잎들 천국이었다.

가도 가도 그 끝이 보이지 않는 나무들의 세상.

그는 구름 장막이 걷힌 산길을 따라 느긋하게 운전을 하였다.

바람이 창을 훑으며 지나갔다.

적막한 도로는 무성한 숲을 파노라마처럼 펼쳐보였다.

이 길을 오래전 부터 알고 지낸 듯하였다.

그는 무척 오랫동안 달리고 또 달렸다.

햇빛이 도로를 비추었다.

그 빛은 순차적으로 그의 다리와 팔과 가슴과 얼굴을 감쌌다.

따스함이 오싹하도록 정겹다.

그는 차창을 살짝 열었다.

그러자 살랑이는 바람이 창을 넘어 팔을 스치며 사각거리며 속삭이기 시작했다.

그는 점점 더 부풀어가는 자유의 유쾌하고도 향기로운 소음에 빠져들었다.

그러다 문득, 무척 가벼워진 자신을 발견하였다.

마치 슬로우비디오 처럼 모든게 정지한 듯 꾸물거리며 둥둥 떠기 시작했다.

하지만 그것도 잠시, 그를 감싼 자동차는 점점 빠른 속도로 밑으로 하염없이 내려가기 시작했다.

공포가 그를 삽시간에 덮쳤다.

그는 바둥거렸다.

안간힘을 쓰며 떨어지지 않으려고 발작처럼 힘을 주었다.

하지만 아무런 소용이 없었다.

알수 없는 심연으로 그는 끝없이 떨어졌다.

그는 심한 고통을 느끼며 눈을 떴다.

하지만 눈 앞은 지독한 먼지로 뒤덮힌 듯 까끌거리며 흐렸다.

그리고 온 몸은 납덩이에 눌린 듯 꼼짝할 수가 없었다.

그는 한동안 꿈에서 벗어나지를 못하였다.

깨어 났어도 그를 사로잡은 것은 녹색의 땅과 푸른색의 하늘이 엮어낸 잔영과 뒤섞인 심연의 공포였다.

'얼마를 이렇게 있었나?'

도저히 그는 알 수 없었다.

무척 긴것처럼 느껴졌으나 무엇하나 확신을 가질 수는 없었다.

그는 그렇게, 온 몸을 두드리는 고통과 자신으로 돌아오는 시간의 흐름 속에 방치되어 있었다.

아케론 포프.

자신의 존재를 의식하며 기억해 낸 그의 이름이었다.

안나. 아내의 이름.

그리고 곧 슬픔이 찾아왔다.

상실의 아픔.
그녀를 찾아 헤맨 혼란이 점점 또렷히 눈 앞에 펼쳐졌다.
아프로간 디간스의 구부정한 골목을 메우던 시체들.
사방을 에워사던 절망과 거친 폭음이 만든 검은 하늘.
새들이 벽에 박힌 채 말라 비틀어졌고 오래된 항구도시의 가로등은 뒤틀리고 휘어진채, 기이한 얼굴로 사람들의 종말을 지켜보고 있었다.
뒤죽박죽 엉켜버린 무수한 차량.
뜨거운 태풍이 휩쓸고 갈색 소나기가 사방으로 흩뿌려졌다.
땅이 흔들리고 빌딩 외벽을 둘러싼 유리창들이 날카로운 비수가 되어 우수수 쏟아졌다.
공포와 사람들의 아우성, 기이한 굉음이 메아리쳤다.
그가 무거운 몸을 이끌고 나온, 거리를 도배한 것은, 낙엽처럼 뒹구는 시체였다.
모든 살아 숨쉬는 것은 고통과 절망이었다.
그의 도시가 생소했다.
그가 나고 자라고 사랑을 한 이 곳이 이제 딴 세상이 되었다.
“지금 진통제가 투여되었습니다. 조금만 참으시길 바랍니다.” 갑자기 어디에선가 부드러운 목소리가 들려왔다.
그의 시야는 여전히 반투명의 세상이었다.
“당신은 누구인가요?” 아케론은 몸을 일으켜 세우러 안감힘을 쓰면서 소리나는 쪽을 응시했다.
“저는 재론 오빙카스라고 합니다.

하지만 여기서는 라후라로 불립니다. 아케론 님.” 그는 높낮이가 거의 없는 목소리로 천천히 또박또박 말을 하였다.
그리고 아케론의 어깨에 손을 살포시 얹었다.
“여기는 어디인가요? 그리고 저는 왜 볼 수도, 움직일 수도 없는가요?” 아케론은 쉰 목소리를 삼키듯 뱉으며 답답한 듯 한숨을 쉬었다.
“우선, 당신은 카펜타닐에 심각하게 오염되었습니다.
치사량의 서너곱절에 달하는…” 라후라는 아케론의 팔과 다리에 연결된 튜브로 전달되는 특수 용액을 눈여겨 보기 시작했다.
“그런데 왜 저는 아직 살아 있나요?”
“지금 당신이 느끼는 고통은 해독과정입니다.
망가진 모든 세포가 새로운 세포로 대체되고 있습니다. 꽤 많은 시간이 걸릴겁니다.” 라후라는 아케론의 이마에 손을 살짝 얹어 체온을 살폈다.
여전히 뜨거웠다.
“얼마나 걸릴까요?”
“자연에서는 인간이 새로운 세포로 바뀌는데 6,7년 정도 걸립니다.

하지만 저희가 적용하는 기술이라면 반나절이면 됩니다.
조금만 더 참아주시기 바랍니다.”
“여기는 어디 인가요? 그리고 왜 저를 살려주시나요?” 아케론을 무엇보다 가장 어리둥절하게 만든 의문이었다.
“아케론 님, 지금은 회복에만 집중하시기 바랍니다.

당신의 신체 기능이 모두 정상이 되면 우리는 당신에게 모든 것을 말씀드릴것입니다.
그럼, 약간의 수면제를 놔드리겠습니다.
내일 쯤이면, 당신이 나를 알아 볼 수 있기를 바랍니다. 그럼. 이만...”
라후라는 가볍게 그의 어깨를 몇 번 쓰다듬은 뒤, 천천히 몸을 움직여 그의 곁을 떠났다.
조명이 무겁게 내려 앉기 시작했다.
그리고 서서히 아케론의 의식도 다시 흐려지기 시작했다.
그러자 다시 아내와 아들이 돌아왔다.
거칠고 오염된 바다를 헤엄치며 안나는 먹을거리를 구하러 서서히 그의 곁에서 멀어졌다.
아들은 그의 곁에서 엄마를 큰 소리로 외치고 있었다.
지독한 바람이 불어온다.
눈을 뜰 수 조차 없는 모래바람이 연약하기만 한 그들을 세차게 때린다.
한동안 부자는 웅크린채 서로의 손을 꽉 잡았다.
그렇게 알 수 없는 시간이 한동안 지나갔다.
황량한 바람이 잦아들자 선명한 대지가 눈에 들어왔다.
이스트 델타곤 지역.
오염물질 방지를 위한 거대한 방벽이 겹겹으로 쌓여진 곳.
버려진 땅의 난민들은 늘 이곳을 서성인다.
이곳을 지나면 거대한 돔이 나타난다.

모든 오염과 치명적인 자외선을 차단하는 곳.
극소수의 부자들이 거주하는 하베스트 프로텍터 돔.
소위 노아의 돔.

신분상승은 아예 존재하지도 않는다.
그들과 그 자손들은 영원히 주인이고 남은 이들은 영원히 하인이다.

하지만 그 하인조차 아무나 할 수 없다.
브로커에게 무척 가치있는 것을 주어야 만 가능하다.
모든 아름다움과 고상함이 떠나간 곳에는 망각의 늪을 지날 수 있는 고귀한 약물만이 남았다.
지옥의 세상에는 마약이 보석이었다.
아케론이 다시 잠에서 깼을 때, 그를 짓누르던 고통은 여운으로만 남아 있었다.
몸과 마음이 한결 가벼워졌다는 느낌이 그를 감쌌다.
하지만 흐린 시야는 여전했다.
"누군가 거기 있나요?" 그는 목소리에 힘을 주어 제법 크게 외쳤다.

하지만 반향만 들릴 뿐이었다.
그는 한동안 귀를 쫑긋 세운 채, 미세한 움직임을 감지하려고 애를 썼다.
낮은 기계음과 삐삐거리는 신호음들이 규칙적으로 방을 메우고 있었다.

그렇게 어느 정도의 시간이 흐르자 차츰차츰 눈앞이 밝아 왔다.

방은 따스했고 단순했다.

작은 침대와 투명한 물잔, 은색 물병과 흰 베개.

가벼운 이불과 덮개가 덮혀 밖을 알 수 없는 창, 겨자색의 문과 격자무늬로 이루어진 벽.

그리고 어디선가 흐릿하게 흘러나오는 Martin Roth 의 단순한 전자음악이 방을 채우고 있었다.

그리고 그 때 누군가가 조용한 발걸음으로 들어 왔다.

그는 옅은 미소를 띄며 그에게 다가와서 속삭였다.

“깨셨군요.” 아케론에게는 낯선 얼굴이지만 익숙한 목소리였다.

“라후라 씨군요.” 아케론은 확신에 찬 표정으로 말했다.

“네. 잘 견디셨습니다. 통증은 어떠한가요?” 라후라는 그의 이마에 손을 얹으며 물었다.

“많이 좋아졌습니다. 눈도 좋아 졌고요.” 그의 말에 라후라는 흐뭇한 표정으로 고개를 끄떡거렸다.

“빛에 망막이 적응하는 과정입니다.

아주 오랫동안 빛을 모른채 지냈으니까요.”

“얼마나?” 아케론은 마치 기다렸다는 듯이 질문을 던졌다.

“음...아마...매우 놀라시겠지만, 지금은 2099년 입니다.” 라후라는 그의 손목시계를 살짝 텃치하여 홀로그램으로 된 영상을 그에게 보여주었다.

그곳에는 보라색의 형광 숫자가 2099로 나타났다.

"2099년?"

"네, 당신은 30년동안 잠들었습니다."

"어떻게?" 아케론은 믿을 수 없는 표정으로 그를 쳐다봤다.

"Cryonics (인체냉동보존) 장치 속에 있었습니다." 라후라는 다시 홀로그램으로 된 영상을 그에게 보여주었다.

"저 또한, 얼마 전까지 이곳에 잠들어 있었습니다." 라후라는 코믹한 표정을 지으며 그의 어깨를 다독거렸다.

"여기는 어디인가요?" 아케론은 마치 꿈에서 덜 깬 듯한 표정으로 주위를 둘러보며 물었다.

"이곳은 남극대륙입니다.

우리는 빙벽 속에 아주 중요한 여러가지를 보관하고 있습니다.

소중한 사람도 포함해서···"

"하지만 저는 가치있는 사람이 아닙니다. 그냥 피난민에 불과한데···" 아케론은 겸연쩍은 모습으로 그를 쳐다봤다.

"음...그건...중요한 사람의 아버지입니다." 라후라는 잠시 망설인 끝에 사실을 털어 놓았다.

"...그럼 제 아들이? 키에르 포프가?" 아케론은 놀란 표정으로 그를 뚫어질 듯 바라봤다.

"네, 아드님이 살아 계십니다." 라후라는 미소를 지었다.

"그럼 아내는? 혹시 아내 소식은 알고 있나요?" 아케론은 황급히 질문을 다시 던졌다.

"네, 아쉽게도...십년전에 이미···"

그러자 한동안 침묵이 흘렀다.

"아들은 만나 볼 수 있나요?" 이윽고 침묵을 깨고 아케론이 물었다.

"그래서 당신을 깨웠습니다. 그리고 한가지 미리 아셔야 할 부분은..." 라후라는 그의 눈에 비친 눈물을 보며 천천히 말을 이었다.

"..."

"당신이 잠든 사이... 아드님의 연령이 이제 당신의 신체 연령과 비슷하다는 점입니다."

"그렇겠군요...하지만 여전히 한가지 의문은 남습니다." 아케론은 자신을 다독이듯이 그에게 물었다.

"제가 죽을 당시 저의 아들은 어린 꼬마에 불과한데...어떻게 중요한 인물이라는 것을?"

"그건, 저 또한 마찬가지의 의문을 가지고 있습니다. 어떻게 미리 알고 당신을 살리기로 한건지?…" 라후라는 방안을 천천히 걸으며 말을 이어 갔다.

"다만, 제가 말씀드리고 싶은 사실은, 이 모든 설비를 그 분이 만드셨다는 점입니다.

대멸종이 있기 수십년전부터 말입니다.

저도 그 분의 예지 능력에 한번씩 깜짝깜짝 놀라곤 합니다."

"그 분의 성함은?"

"가우타로 알려져 있습니다."

"그럼, 그 유명한 가우타 그룹의 회장?" 아케론은 성마른 듯한 표정으로 그를 쳐다봤다.

"네, 맞습니다. 그분이십니다.

그리고 저는 그분의 비밀 해커 조직인 사피엔티아의 일원입니다.

라후라는 그 분이 지어주신 이름입니다.

그리고 가우타님을 조만간 만나게 될 것입니다.

그러면 제가 못드린 답변을 듣게 될 것입니다."

라후라는 확신에 찬 표정으로 그의 손을 굳게 잡았다.

퍼즐의 끝에는 상상도 못한 연결고리가 있다!
NAM KING
COLLECTION
#004
심해
DEEP SEA
NAM
KING
남킹 SF 장편소설

파벨 예언서
떠오르는 위협
남킹 장편소설
남킹 컬렉션 #008

메이드 인 아메리카

제임스는 기분이 좋았다.

나이 서른아홉에 비로소 여자 친구를 만들었다. 비록 로봇이지만 그가 늘 꿈꾸던 이상형이다. 3차 세계대전 이전, 1968년 영화 <로미오와 줄리엣>에 출연한, 당시의 올리비아 핫세를 쏙 빼닮았다. 그는 요즈음 젊은이들이 선호하는 금발의 섹시 글래머 스타일을 좋아하지 않는다. 오히려 남자의 보호 본능을 자극하는 청순가련형 스타일에 푹 빠져있다. 긴 생머리와 우수에 찬 짙은 황갈색 눈을 사랑했다. 그는 그녀를 얻기 위해 10년 동안 돈을 모았다.

그는 가난했다.

그의 집안은 대대로 선생을 하였다. 그래서 늘 적은 급여를 받았다. 그는 싱글 침대와 화장실이 한 공간에 있는 13층 원룸 아파트에 살았다. 그는 돈을 아끼기 위해, 하루에 한 번, 샌드위치로 끼니를 때웠다. 그의 휴대폰은, 50년 전에 단종이 된, 낡은 애플 아이폰 34 프로였다. 이미 모든 모서리는 깨지고 액정화면은 금이 갔으며 6개의 부착 카메라는 제 기능을 상실한 지 오래였다. 그의 할아버지가 남긴 유일한 유산이었다.

그는 집에 오면 늘 휴대전화기를 켜고, 지금은 역사 속으로 사라진, 유튜브의 2D 영상을 메타데이터에서 가져와 시청하곤 하였다. 그는 2,000년대 초반 음악을 즐겨 들었다. 지금은 아무도 관심을 가지지 않는, 팝과 하드락에 그는 묘한 매력을 느꼈다. 그는, 이제 전설이 된, <BTS> 노래 대부분을 따라 불렀고 <린킨 파크> 음악을 흥얼거렸다. 한마디로 그는 메타 시대를 살아가는 아날로그형 디지털 인간이었다.

그는 늘 외로웠다.

마지막 대 전쟁 발발 시기에 태어난 그는, 어린 시절 대부분을 외딴 곳에 숨어 지냈다. 전쟁은 참혹했다. 도시 대부분은 파괴되었고 방사능에 오염되었다. 게다가 변종 바이러스 전염병이 창궐하여, 사람들은 모두 뿔뿔이 흩어져 고립 생활을 하였다. 그는 성인이 될 때까지 가족 외에 다른 사람을 구경할 수 없었다.

그가 다시 도시로 돌아왔을 때, 세상은 가진 자의 것이 되었다. 그리고 빈부의 격차는 나날이 커졌다. 소수의 부자는 대부분의 첨단 기술을 장악했다. 그들은 그것을 이용하여 막강한 부를 쌓았다. 그리고 곧 권력과 결탁하였다. 권력은 바로 욕망이었다.

그들은, 영장류의 진화에서 1,600만 년 동안 이어져 온 사회적 일부일처제를 법적으로 없애버렸다. 저명한 인류학자인 레반도프스키 박사의 저서 <영장류의 자유 연애론>이 빌미가 되었다. 그는 책에서 이렇게 주장하였다. '인간을 비롯한 모든 동물의 수컷에게 가장 좋은 전략은 많은 암컷을 상대하는 것'이라고. 정치인과 통제된 언론은 자유연애의 당위성을 대중에게 설파했다.

결국, 일부다처 혹은 일처다부가 행정적으로 보호받는 시대가 열렸다. 그러자 결혼 쏠림 현상이 극단적으로 나타나기 시작했다. 돈 많고 잘 생기고 사회적 지위가 높은 남자들이 여자 대부분을 차지해버린 것이다. 당시 도시의 남녀 성 비율은 여성이 남성보다 약간 더 많은 수준이었으나, 결혼 적령기 미혼율은 남성이 압도적으로 많았다. 즉, 대부분의 가난한 남자들은 짝을 구할 수 없게 된 것이다. 그리고 그들은 사회 인력 구성원의 대다수를 차지했다.

한마디로, 성적 불만이 팽배한 사회로 변모한 것이다. 그러자 다양한 방법으로 부작용이 나타나기 시작했다. 매춘과 유사 성행위 업소가 폭발적으로 늘었다. 폭력도 늘고 마약, 알코올 소비도 증가했다. 동성애도 늘고 여자를 납치하는 사례도 번번이 일어났다. 자살률도 끝없이 올라갔다.

제임스가 사는 도시 외곽의 아파트 촌은, 주민 대부분이, 홀로 사는 남자였다. 그야말로 남자 마을이 된 것이다. 그리고 나날이 황폐해졌다.

하지만 인간은 늘 그렇듯이 방법을 찾아내곤 하였다. 필요는 발명의 어머니라고 하지 않았던가! 가난하고 외로운 늑대들을 위한 구원자가 나타난 것이다.

그의 이름은 일론 멜론.

그는 화성 테라포밍 프로젝트에서 AI 로봇 제작 기술자였다. 하지만 지나치게 외골수인 데다 음주 문제로 동료들에게 따돌림당하다 결국 회사에서 쫓겨나고 말았다. 그러던 어느 날, 그는 변함없이 그날도 집에서 반주 삼아 위스키 석 잔을 비우고 3D 포르노 사이트를 기웃거리던 중, 광고 배너에 이끌려 자위기구 판매 사이트를 방문하였다. 그것이 그의 인생을 완전히 바꾸게 만든 순간이었다. 그는 그곳에서 남성 자위를 도와주는 인형을 본 것이다. 순간, 번뜩이는 아이디어가 그의 정수리를 때렸다.

그해, 인간과 거의 비슷한 인형을 제작하는 일본의 <다나카 돌스>(Danaka Dolls) 함께 공동으로 <에로 돌스>(EroDolls)>를 창업한 그는, 이듬해 첫 AI 섹스 로봇 <마라린 먼로 버전 1>을 출시하였다. 하지만 시장의 반응은 그다지 좋지 않았다. 피부 조직과 미모, 동작은 무척 자연스러웠으나, 여전히 인간보다는 인형에 가까웠으며 지나치게 높은 가격이 문제였다.

하지만 사회적 불안에 대한 해결책을 찾던 소수의 권력자에게는 충분한 매력으로 다가왔다. 그들은 섹스 로봇을 국책산업으로 지정하고, <에로 돌스>를 우선 지원 업체로 선정하였다. 정부는 무엇보다 가장 먼저, 높은 가격을 대폭 낮추기 위하여 공장을 개발도상국으로 이전하는, 양국 간 경제 협력 컨소시엄 양해각서를 발 빠르게 추진하였다. 그리고 거의 완벽에 가까운 표정과 몸매를 만들기 위하여, 당시 최고의 기술을 자랑하던 대한민국 강남 일대 성형외과 의사들을 대거 스카우트하였다.

그렇게 하여 탄생한 <마라린 먼로 프리미엄 프로 버전 7.3>은 섹스 로봇의 전설이 되었다. 한 언론의 기사 제목이 모든 것을 설명했다.

<먼로의 재림>

****

제임스는 들뜬 마음을 누른 채, 플라잉 택시를 타고 <에로 돌스> 고객센터로 향했다. 평소에는 대중교통을 이용했지만, 그는 오늘만큼은 약간의 사치를 부리고 싶었다.

일주일간의 제품 사용 교육과 적응 단계를 모두 마친 그는, 드디어 그의 여자를 오늘 만나게 되는 것이다.

제품명 : <핫세 프리미엄 에로 버전 13.44F>
원산지 : Made in America

이미 7년 전에 출시되어 2번의 주인을 거친 중고제품이었다. 하지만 정비센터에서 무상 초기화 및 업그레이드가 잘 진행되었고, 무료 <안마 서비스> 모듈 및 최신 유행 신음까지 보너스로 탑재한 상태였다. 그의 재정적 능력으로는 더할 나위 없이 안성맞춤인 셈이었다.

다만 한 가지 아쉬운 점은 <Made in America>라는 것이다. 가장 인기 있는, 최고 품질의 섹스 로봇은 한국산이었다. 하지만 대부분 제임스가 감당할 수 없는 고가 제품이었다. 심지어 중고제품도 여전히 높은 가격으로 팔렸다. 그나마 차선책으로 선택할 수 있는 것은 중국산이었다. 한국산 대비 가격은, 삼 분의 일 정도였지만 품질면에서는 일반인들이 구분하지 못할 정도였다. 다만 중국 내 노총각 수가 급증함에 따라, 내수 시장의 수요도 감당할 수 없었다. 결국 중국 정부는 원천적으로 자국의 로봇 수출을 엄격하게 제한하고 말았다.

아메리카 제품은 한 때 최상의 품질로 인기를 누렸으나, 보안의 취약성이 드러나면서 급락하고 말았다. 즉, 수많은 제품이 불법 개조 및 복제가 되어 전 세계로 팔렸으며, 여러 가지 사건 사고가 발생하였다. 예를 들자면, 섹스 도중 주인의 성기를 입으로 절단하는 사고도 있었다.

하지만 제임스는 전혀 개의치 않았다. 거의 40년 세월을 고독한 싱글로 보낸 그로서는, 여인의 품속이라면 죽어도 좋다고 생각했다.

그는 후들거리는 다리를 겨우 옮기며, 안내에 따라 지정된 69번 만남 방으로 들어갔다. 이곳에서 2시간의 첫 만남을 보내고 나서, 최종 구매 계약서에 사인하고 나면, 그녀는 완전히 그의 것이 되는 것이다.

방은 작지만, 침대는 넓었다. 약간 어두운 붉은 조명 속에 로맨틱한 재즈 음악이 흘렀다. 그는 약간 엉거주춤한 상태로 선 채 여자를 기다렸다. 그의 심장이 터질 듯이 요동쳤다. 일 초 일 초가 영원히 멈추듯이 천천히 흘렀다. 동시에 그의 속이 바짝바짝 타들어 갔다.

그는 탁자에 놓인 음료수를 병째로 벌컥벌컥 마셨다. 그가 병을 비우는 사이 그녀가 들어왔다. 진한 재스민 향이 좁은 공간을 금세 가득 채웠다. 그녀는 반투명의 실크 란제리 차림이었다. 그녀는 망설임

없이 그에게 사뿐 사뿐히 다가와 익숙한 듯이 그에게 안겼다. 그리고 그가 말할 틈도 없이 그녀는 그의 입술에 자기 입술을 포개었다. 그녀는 탁월한 섹스 기계였다.

남자의 옷을 한풀 한풀 벗긴 뒤, 자연스러운 자세로 그를 침대에 눕혔다. 그리고는 자신이 왜 좋은 제품인지를 마치 홍보라도 하듯이 아주 부드러운 손끝으로 그의 전신을 안마하기 시작했다. 그의 눈이 스르르 자동으로 감겼다.

제임스의 입에서는 삶의 희열이 터져 나왔다. 그의 모든 세포 하나하나가 기쁨을 노래했다. 지나간 모든 고통과 외로움이 한꺼번에 보상받는 느낌이었다. 그는 비로소 세상의 한가운데, 주인공으로 우뚝 선, 자존감을 한껏 내뿜는 수컷 사자로 돌아왔다.

그는 이제, 그녀를 쓰러뜨리고 자기 성기를 그녀의 몸속으로 깊숙이 집어넣고 싶다는 강렬한 욕구를 느꼈다. 그런데 그 순간, 묵직한 압박감이 팔에서 느껴졌다. 그는 눈을 번쩍 떴다. 그리고 여자의 손에 쥐어진 주사기를 보았다. 그녀는 익숙한 듯 자신의 왼쪽 유방을 열어 투명 유리병 속에 담긴 액체를 주사기에 담고 있었다.
순간, 제임스의 입에서 욕지거리가 튀어나왔다.

"젠장!!!, made in America!!!"

그의 여자는 마약 로봇으로 개조된 복사품이었다.

남킹 컬렉션 #004
심해
deep ocean
남킹 SF 장편소설

리셋
Reset
남킹 SF 소설집
남킹 컬렉션 #010

호모 터미네이터

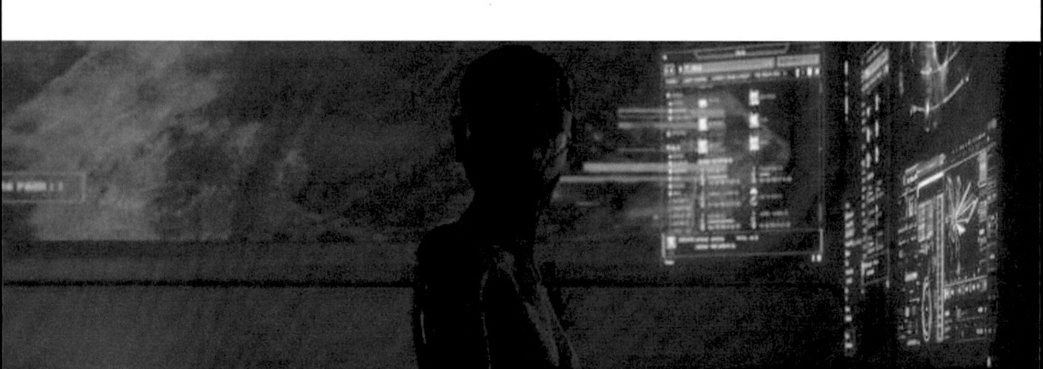

세르델타포스(SDF) 7320F형. 그는 사이버네틱 오가니즘이다. 줄여서 사이보그.

2144년 10월 18일. 그가 태어난 날이다. 그는 달의 뒷면, 삭막하고 외진 곳에 건설된 휴애스비전테크사의 하청 공장에서 3만 대의 특수 목적 휴먼형 AI 중 하나로 등록되었다.

그의 몸은 4만 9천 개의 생체 부품으로 이루어졌고 창조주이신 사람과 아주 흡사하다. 사실 특수 스캔 없이 맨눈으로 구분하기는 거의 불가능하다. 그는 30대 중반의 건장한 아시아인 모습이다. 그의 모델은 그가 태어나기 100년 전에 살해당한 한국인이다. 그는 종군기자였고 아르메니아 국경 지역에서 유탄에 맞아 즉사했다. 그곳은 <4차 유아 전쟁> - 몰락한 미국을 대신할 패권전쟁으로 유럽연합과 아시아 동맹의 국지적 성격의 전쟁. 주로 동유럽 지역 국가들의 피해가 큼 - 의 격전지로, 카스피해와 흑해를 두고 갈등과 긴장은 날이 갈수록 높아만 갔다. 사실 2066년의 대멸종(아마겟돈)은 그때부터 시작되었다고 보는 게 타당하다.

그의 탄생은 바로 그러한 연유에 기인한다. 인류의 역사는 전쟁의 기록과 맥을 같이한다. 동족을 죽이는 행위는, 이 고등한 동물이 지구에서 행한 수많은 악행 중에 단연 독보적이다. 그로 인한 이차적 피해 - 환경오염 및 각종 생물의 멸종 등 - 는 차치하고서 말이다.

인간의 과학 기술은 눈부시게 발전을 거듭하고 있다. 아니 걷잡을 수 없을 정도라고 해야겠다. 그리고 그에 비례하여 파괴의 기술도 놀랍도록 진보적이다. 폭력과 과학. 얼핏 보면 상반된 것 같으나 놀랍도록 상호보완적이다. 전쟁은 과학을 발전시키고 과학은 전쟁을 도왔다. 전쟁 대부분의 승리는 앞선 기술이 가져갔다.

그는 그러한 과학이 낳은 최고의 작품이다. 인간 게놈 서열분석이 완벽히 이루어졌다. 인공 장기의 재료, 구동장치, 에너지원, 계측, 제어 기술이 놀랍도록 정밀해졌다. 새로운 3차원 배양 접시 기술로 만들어진 자가 조립 미세 조직이 개발되었다. 그리고 인간 신체에서 추출한 줄기세포는 성장 인자를 투여받고, 그의 본래 기관의 플라스틱 복제품에서 완벽하게 배양되었다.

인공 심장, 인공 폐, 인공 이자, 인공 청각기관, 인공 피부, 인공 간, 인공 관절, 인공 문부와 유문부, 인공 음핵, 음경, 인공 청각, 인공 전자 안구, 망막, 시신경, 인공 사지, 인공 췌장, 인공 흉선, 인공치아, 인공 방광 심지어 인공 난소가 완벽하게 구현되었다. 그의 혈관에는, 배아줄기세포를 적혈구로 분화시켜 만든 인공 혈액이 돌아다닌다.

인공 신경계는, 신경계 사이의 직접적인 전기적 커뮤니케이션이 완벽하게 전달되었다. 그리고 마침내 세상에 존재하는 모든 언어를 실시간으로 통역하는 번역기가 완성되었다.

완벽한 호모 사피엔스(Homo sapiens)의 구현. 인간이 마침내 창조한 인조인간.

호모(Homo). 사람 속. 250만 년 전에 지구에 등장한 호모. 하지만 모든 호모는 지구에서 사라졌다.

호모 가우텐겐시스, 호모 게오르기쿠스, 호모 네안데르탈렌시스, 호모 로데시엔시스, 호모 루돌펜시스, 호모 사피엔스 이달투, 호모 세프렌시스, 호모 안테세소르, 호모 에렉투스, 호모 에르가스테르, 호모 플로레시엔시스, 호모 하빌리스, 호모 헤이델베르겐시스.

그는 이제 마지막 호모. 호모 사피엔스의 멸족을 위해, 인간의 마지막 거주지, 남극으로 가는 지구 행 우주 왕복선에 몸을 실었다.

그는 호모 터미네이터(Homo Terminator)이다.

그의 목적은 단 하나. 지구를 살리는 것이다.

남킹 컬렉션 #001

그레고리 흘라디의 묘한 죽음

남킹 장편소설

거짓과 상상
혹은
죄와 벌
남킹 장편소설
남킹 컬렉션 #002

심연

모든 시작은 끝에서 출발한다.

생체 인식 확인 절차를 마친 예레미는 물끄러미 <노붐 이니티움> 보안 기지국 현판을 바라봤다. 늘 들었고 가슴에 새긴 말이다. 그가 태어난 2066년을 다들 <아마겟돈>이라고 하였다. 그리고 이제 서른 세 살이 된 그는, <목성> 외계 소속 <가니메데> 항시 보안청 최고 단계의 훈련을 막 수료한 상태였다. <칼리스토> 외곽 제38 분쟁 접경지역 파견 근무 7년, <유로파> 제5 경시청 최고위 수사관으로 7년을 무사히 보낸 그에게 주어진 특권이었다.

그는 이제, 사건과 분쟁이 있는 곳이라면 태양계 어느 곳이든 갈 수 있다. 그의 모든 인체 정보는 4,500개의 우주 양자 정보 센터에 레벨 1로 동기화되었다. 10억의 <자연계 인간> 중 단지 0.1%에 해당하는 상위 신분이 된 것이다. 즉, 그가 출입할 수 없는 곳은 이 세상에 없다.

"이해되지 않는군요. 왜 당신은 <어비스>로 가려고 하는가요?" 제냐가 낮은 전자음으로 물었다. 제냐는 <스카이데크> 사에서 출시한 분쟁 조정 특화 시스템 인공지능 바이오 7.14678 버전이다. 예레미가 가는 어느 곳이든 간에 그녀는 함께 할 것이다.

"가지 않을 이유가 없으니까…. 전쟁이 있는 곳이라면…." 예레미는 진지한 미소를 띠며, 600개의 모니터 중 한 곳을 주시하기 시작했다. 흐릿한 영상 속에, 수백 개의 전투 드론이 지독한 먼지를 뿜으며 지상의 반란군을 공격하고 있었다.

"하지만…." 제냐는 슬픈 표정으로 그의 뒷모습을 쳐다봤다.

"물론 나도 알고 있어. 생존 귀환율이 채 30%도 되지 않는다는 사실을…."

"그런데도?"

"그런데도 어쩌겠나…. 늘 가보고 싶었으니까…."

"하지만 그곳은 당신이 태어난 곳도, 심지어 당신이 어린 시절을 보낸 곳도 아니잖습니까?" 제냐는 이제 의아한 표정을 지으며 그녀의 목소리 톤을 높였다.

예레미는, 줄곧 모니터에 주시하던 시선을 천천히 제나에게로 돌렸다. 그는 그녀를 쳐다볼 때마다, 인간보다 더 인간다운 모습과 감성에 늘 감탄을 하곤 하였다. 그리고 제나의 투명에 가까운 푸른 눈동자를 사랑했다. 어머니와 흡사한 눈빛이었다.

어머니는 예레미가 10살이 되던 해 돌아가셨다. 지구에서 고도 1만 km에 떠 있던 4만 개의 피난 인공위성 중 하나에서였다. 극심한 식량난과 연료 부족으로, 당시 피난민들의 삶은 피폐하기 짝이 없었다. 부족함은 존재 가치를 가볍게 만들었다. 연일 폭동과 살인이 일어났다. 부유한 자들은 달과 화성 등, 이미 테라포밍을 완료한 외행성 영역 식민지로 이주하였다. 그리고 군인과 투쟁 능력이 있는 젊은이들은 지구로 다시 발길을 돌렸다.

그들은 방사능 오염이 덜 된 극지방과 태평양 섬들에 삶의 터전을 마련하기 위하여 치열한 전투를 벌였다. 인공위성에 남은 이들은 늙고 병든 자, 여자와 어린이들이었다. 그들은 서서히 굶어 죽어갔다. 이미 수천 개의 위성은 떠 있는 공동묘지였다.

예레미를 구한 것은, 컬렉터로 알려진 노예상이었다. 그들은 피난 위성을 돌며 버려진 어린아이들을 모아, 새로 건설한 식민 행성의 입주민들에게 팔았다. 90억 명의 지구인은 대멸종 이후 9억 명으로 줄어들었고, 그중 태양계 행성으로 이주한 이는 고작 100만 명도 되지 않았다. 그러므로 어린이는 값나가는 귀한 존재였다.

예레미는 그가 팔린, 그날을 똑똑히 기억한다. 영문도 모른 채, 노란 병에 담긴 액체를 마시고, 얼마 남지도 않은 몸속의 음식물을 모두 게워낸 그는, 얼음장같이 차갑고 좁은 캡슐에 갇힌 채, 서서히 의식을 잃어가고 있었다. 캡슐 유리에 비친 그의 얼굴은, 이미 체념과 피곤함에 절은, 마치 운명의 선고를 받은 자 같이, 굴곡이 선명하였다.

그가 다시 눈을 떴을 때는, 태양계 광범위 표준시각으로 2년이 지난 시점이었다. 그는 외행성 섹터에서 외곽에 속하는, 목성계 초기 식민지 건설을 담당하던 한 부국장의 아들로 입양이 된 거였다.

예레미는 잠시 생각을 멈추고, 사랑스러운 눈길로 제나를 쳐다봤다. 그리고 나풀거리는 그녀의 갈색 머리를 쓰다듬으며, 그녀를 살포시 끌어안았다.

몸을 어르는 즐거움.

그녀의 입술에 그의 손끝을 대어 본다. 부드러운 감촉 위에 콧바람이 머문다. 새근거리는 여자의 다문 입술이 십 대 소녀처럼 보였다. 둥글고 짙은 눈에 붙은 무거운 눈썹. 그녀는 살짝 눈을 흘기며 부드러운 미소를 지었다. 그녀의 미간. 웃음이 만드는 함축한 모습. 그런 찰나의 순간은 언제나 내밀한 그들만의 사랑이었다.

그는 제냐의 손을 부드럽게 잡았다. 투박하지만 그 속엔 그를 사랑하게 만든 따스함이 배어있었다. 그의 어머니에게 느꼈던 그리움이었다.

윤곽이 도드라진 곳에 그녀의 연분홍빛 젖꼭지가 달랑거렸다. 그는 주체할 수 없는 욕망을 느끼며 말랑한 가슴을 만졌다. 그리고는 그녀의 불룩한 허리를 천천히 쓰다듬었다.

미세한 움직임. 그는 보름달처럼 부푼 제냐의 배에서 생명의 신비로움을 느꼈다. 눈으로 다시 보고 귀를 갖다 댔다. 규칙적인 심장 소리가 들려오는 듯하였다.

그는 점점 달아오르는 자신을 느꼈다. 숨을 쉴 때마다 뜨거운 김이 목을 태우는 듯하였다. 그는 이윽고 침을 한번 꿀꺽 삼키고는 확신에 찬 어조로 그녀에게 속삭였다.

“그곳은…. 내 어머니가 나를 잉태한 곳이니까.”

모니터에는, 죽어가는 인간을 형체도 없이 갈가리 찢어버리는, 포격이 생생하게 잡혔다. 뼈대만 남은 앙상한 빌딩이 쓰러질 듯 늘어섰다. 도시는 참혹하게 비었다. 정지한 세상. 육중한 기계 무리가 꼼지락거린다. 그들은 살아 있는 모든 것을 파괴한다.

지구. 푸른 행성. 하지만 지금 그곳은 더 이상 생명이 살 수 없는 검은 심연. 어비스라고 부른다.

그러나 모든 삶은 사라진 곳에서 다시 시작한다.

남킹 컬렉션 #003
신의 땅
물의 꽃
남킹 판타지 SF
남킹 장편소설

퍼즐의 끝에는 상상도 못한 연결고리가 있다!
NAM KING COLLECTION #004
심해
DEEP SEA
NAM KING
남킹 SF 장편소설

아니룻

1cm 안에는 약 1억 개의 수소 원자를 일렬로 쭉 늘어놓을 수 있다. 수소 원자의 중앙에는 원자 크기의 1만 분의 1에 불과한 핵이 있다. 그리고 이 핵보다 10억 분의 1이나 작은 어떤 점이 있다. 지금으로부터 약 137억 년 전 갓 태어난 우주의 크기였다. 여기에서 수천억 개의 은하가 탄생했다. 그 은하 중 하나의 변방에 태양계가 있다. 그 태양을 도는 작고 푸른 행성이 지구다. 우리는 대부분 지구에 살고 있다. 아마겟돈 이전이든 이후든….

아니롯이 매번 화성의 유인기지, 라스둠 시티를 방문할 때마다 느끼는 점은 무척 빠르게 변하고 있다는 것이다. 중앙에서 미로처럼 뻗어나가는 길을 따라 걷다 보면 그녀가 기억하지 못하는 새로운 도로와 마주치곤 하는데, 그 끝에는 대부분 기계 로봇인 하드롯의 건설 현장이 펼쳐져 있다. 아니롯은 무척 많은 시간을 기웃거리며 이곳저곳을 돌아다녔다. 그리고 그녀는 3D 내비게이션의 도움 없이도 거의 모든 도로와 건물, 인공호수와 공원들을 외우고 다녔다. 이러한 특성은 태생적 환경에서 기인한 바가 크다고 봐야 할 것이다.

그녀는 생후 6개월부터 고아로 자랐으며 여러 군데의 탁아소, 위탁가정을 옮겨 다니며 성장했다. 그녀는 아무리 울어도 누군가가 그녀의 입에 젖병을 물려주지 않는다는 사실을 진작에 깨달았으며, 나 스스로 경쟁에서 이기지 않으면 아무도 자신을 도와줄 사람이 없다는 현실도 무척 어린 나이에 받아들여야만 하였다. 그녀는 고통을 감내하는 것에 익숙했고 집착에 가까운 인내심을 키웠으며 위험한 것에 대한 내구성을 축적했다.

그녀의 첫 직장은 중소 도시의 중견 신문사였다. 그 신문은 주로 시사와 경제, 사회에 관한 기사를 다루었는데, 그녀는 입사한 지 육 개월도 지나지 않아 종군기자를 자처했다. 아마겟돈이 있기 20년 전, 2046년 봄이었다. 대규모 전쟁의 암울한 기운이 전 유럽과 아시아, 북미 대륙을 집어삼키고 있던 시기였다.

그 시작은 2020년대부터 실질적으로 시작된 중국과 미국의 패권 싸움이었다. 서로 간의 무역전쟁, 보복 관세 등이 이어지고, 국지적인 다툼이 세계 곳곳에 걸쳐서 일어났다. 주로 힘없고 가난한 동유럽, 아프리카, 중남미, 동남아 지역이었다. 대리전쟁이나 마찬가지였다.

2030년대부터는 EU와 러시아가 본격적으로 개입하기 시작하면서, 전쟁의 수위와 규모가 엄청나게 커졌다. 제삼 세계는 이제 어느 편에 서든지 크고 작은 전쟁에 휘말릴 수밖에 없는 처지가 되었다.

2040년이 되자 세계는 이제 2개의 큰 세력으로 편 갈이가 되었다. 중국, 러시아, 인도가 손을 잡은 아러 연합(AR Union)과 유럽, 아메리카 대륙이 연합한 유아 연합(EA Union)이었다. 하지만 그런데도 인구는 기하급수적으로 늘어나기만 하였다. 2050년이 되자 200억이 되었다. 더불어 자원 고갈은 절정에 달했다.

지구는 45억 년 동안 숱한 변화를 겪었다. 기후 변화, 지각 활동, 운석 충돌 등 다양한 원인이 지구를 얼음별 혹은 우림으로 바꾸어 놓았다. 그리고 환경이 바뀔 때마다 지구를 지배하는 생물도 바뀌었다. 2051년 10월 인간은 현 지질시대를, 30년 전에 국제 지질학 연합이 주장한 인류세(人類世, Anthropocene)를 공식적으로 받아들였다. 지금의 변화가 1만 200년 전 마지막 빙하기가 끝난 직후의 변화보다 크다는 것을 인정한 것이다. 이로써 홀로세(Holocene)가 공식적으로 끝난 것이다.

이러한 선언의 이면에는 핵이 있었다. 비극의 실마리는 핵폭탄 개발이었다. 인간 자신을 스스로 파멸로 인도할 이 무기는 이후 모든 나라가 탐하는 최고 가치의 물건이 되었다. 인간이 땅끝까지 지배하는 세상은 그야말로 야생이었다. 힘 있는 자가 모든 것을 지배하는 것이다. 그 무한한 지배욕을 성취하기 위한 대량 파괴 무기는 이제 지구를 수십 번 산산조각 내고도 남을 정도로 커졌다.

아나루슨 동유럽과 중국, 멕시코와 미국, 중동과 인도를 누비고 다녔다. 전 세계 어느 곳이든 전쟁이 발생한 지역이면 찾아다니기 시작했다. 그리고 그녀는 다른 이들을 압도하는 놀라운 능력을 지니고 있었다. 바로 인간 내비게이션이라는 별명이 붙을 정도의 놀라운 지리에 대한 암기력이었다.

그녀는 한번 찾아간 지역은 모두 그녀의 머릿속에 집어넣었다. 그것은 종군기자로서 맹활약을 할 수 있는 최고의 장점이었다. 길을 잃지 않는다는 것은 곧 살 가능성을 극단적으로 높여 주었다. 그리고 그녀는 거의 병적인 수준의 집착력을 보였다. 그녀는 왜 인간이 폭력적인가 하는 근본적인 질문에 온통 휩싸인 채, 총알이 하늘을 뒤덮은 대지를 종일 뛰어다녔다.

곧 그녀의 이름은 유명세를 치렀다. 그녀는 미국 최대 유튜브 방송국 기자가 되었고 세상의 모든 전쟁을 배경으로, 그녀는 아름다운 금발을 두꺼운 방탄모에 숨긴 채 숨 막히는 톤으로, 인간의 비극을 묘사하기 시작했다. 2065년 그녀는 퓰리처상을 수상했다. 그녀의 동영상은 30억 뷰에 육박했다. 그리고 그때쯤, 그녀에게 비극이 찾아왔다. 그녀는 사리엔의 전쟁 지역을 이동하던 중, 대인지뢰를 밟고 즉사했다.

그녀가 다시 눈을 뜬 것은 뉴질랜드의 어느 외딴섬이었다. 하지만 그녀가 다시 자신의 의지로 서게 된 것은 그로부터 몇 달 뒤였다. 그런데도 여전히 움직임을 제 뜻대로 하기에는 몇 주가 더 필요했다.

“새로운 육체에 적응하는 단계입니다.” 가우타 생체 공학 연구소 선임 연구원인 란젠은 부드러운 미소를 지으며 그녀에게 말하였다.

“제가 어떤 상태였나요? 박사님.”

“죽었죠.” 박사는 살짝 윙크를 지으며 말을 이어갔다.

“목 이하는 모든 게 조각조각 난 상태였습니다. 즉 건질 게 하나도 없었죠."

"저를 왜 살리셨나요?" 그녀는 눈을 뜬 순간부터 줄곧 품어왔던 의문을 표시했다.

"그 부분은 저도 모릅니다. 이곳 연구소를 설립하신 가우타 님의 뜻이었습니다. 꼭 살려야 한다고 하셨습니다."

"그런데, 심장이 산산조각이 났는데 어떻게 살 수가 있는 거죠?"

"소위, 마인드 업로딩 기술이라는 것을 이용했습니다. 인포 모프(Infomorph)라고 불리는 인공지능의 한 분야입니다. 뭐, 단순하게 설명하자면, 로봇의 신체에 인간의 정신을 옮기는 것이라고 보면 됩니다."

"그럼, 저는 로봇인가요?"

"굳이, 분류하자면 인조인간입니다."

"그분을 만나고 싶군요."

"곧 만나게 될 것입니다. 아 그리고 한 가지 아셔야 할 것이 있습니다."

"네?"

"지금은 2069년입니다. 그리고 2066년에 아마겟돈이 있었습니다. 이곳 지하 연구소는 안전하지만, 바깥은 이제 그렇지 않습니다. 당신이 잠든 사이 벌어졌던 모든 불편한 진실을 당신은 지금부터 마주할 것입니다. 부디 절망하지 마시기를 바랍니다. 당신이 온전히 당신의 새로운 육체에 빨리 적응되기만을 가우타님은 바라고 있습니다. 그때가 되면 그분이 당신을 방문하실 것입니다. 그럼…."

가우타가 실제로 그녀를 방문한 것은 2070년 1월이었다. 그녀는 강한 여자였다. 태생부터 살아남기 위한 의지는 그녀가 재탄생한 이후의 삶에도 수그러들지 않았다. 그리고 무엇보다도 자신이 꼭 살아야 하는 이유를 알고 싶었다.

"저는 당신이 필요합니다." 가우타는 파란빛으로 반짝이는 그녀의 눈을 마주 보며 말을 했다.

"왜, 필요한가요?"

"당신은 누구보다도 전쟁을 잘 압니다. 그리고…" 그는 그녀의 인조 얼굴이 그녀가 죽기 직전의 모습을 거의 완벽하게 재현했다는 만족감을 느꼈다. 그녀는 전형적인 게르만 혈통에 북방 인종에 속했다.

"당신이 잠든 사이 벌어진 대멸종으로 이제 인류는 생존의 갈림길에 서 있습니다. 아마도 당신은 본능적으로 의문을 느끼고 있을 것입니다. 누가 이런 짓을 했는지…"

"누가 했나요?"

"아직 모릅니다. 그래서 당신이 필요합니다."

"왜 저인 가요? 출중한 능력을 겸비한 이들이 많을 텐데요."

"능력만 비견하자면 다른 이를 선택할 수도 있었을 겁니다. 하지만…"

"하지만?"

"저는 오래전, 젊은 시절, 한 예언가의 일기를 물려받은 적이 있습니다. 그리고 여기 그 일기 중 한 부분을 보여드리겠습니다." 가우타는 그의 가방에서 낡은 공책을 하나 꺼내 표시한 부분을 펼쳐서 그녀에게 내보였다.
'... 키가 크고 금발에 푸른 눈, 투명에 가까운 눈빛을 한 여자가 보입니다. 늘 가시투성이의 삶이지만 집착은 생명을 불어넣고 본능은 한 곳을 향해 나아갑니다. 그녀는 구원자의 귀와 눈이 되어 그가 디

될 곳의 평지를 선사합니다….'

"이게 저를 지칭한다는 말인가요? 금발에 푸른 눈동자는 수도 없이…." 가우타는 다시 몇 장을 넘기더니 표시한 대목을 그녀에게 다시 가리켰다.

'... 여자는 죽음의 도시에서 태어나 삶의 세상을 만들 것입니다…'

"죽음의 도시?"

"네, 당신은 우크라이나 체르노빌에서 태어났습니다. 그곳을 우리는 죽음의 도시라고 합니다."

"하지만 죽음의 도시는 전 세계 곳곳에 존재하는 걸로 알고 있습니다만…"

"다음을 보시죠…" 그는 일기장 다음 페이지를 넘겼다.

'그 해의 시작은 하늘의 폭발이었다. C로 시작하는 하늘을 나는 것이 뿌연 먼지로 사라졌다. 그리고 그해에는 평화로운 도시가 아무도 살 수 없는 죽음의 도시로 변하였다.'

"모두 1986년의 일입니다. 그해 1월 챌린저 우주왕복선이 폭발하였고 4월에는 체르노빌 원자력 발전소가 폭발하였습니다."

"하지만 제가 체르노빌 출신이라는 사실은 저도 모르는 일입니다. 그걸 어떻게?"

"당신의 어머니는 당신을 버린 게 아니었습니다. 체르노빌에는 몰래 숨어 들어와 살던 주민들이 있었습니다. 2022년 당신이 태어난 직후 당국에 발각되어 강제로 위탁 시설에 보내진 것입니다. 물론 당신 이름도 위탁인이 즉석에서 지어낸 것이고요."

"하지만 어떻게 제가 모르는 사실까지 당신은?"

"저에게는 세상에서 가장 뛰어난 해커 조직인 <사피엔티아>를 두고 있습니다. 이것이 당신의 출생 서류 복사본입니다." 그는 모니터에 그녀의 출생 신고서를 띄웠다.

'체르노빌 출생. 강제 이주. 이름 : 빅토리아 단테스
위탁인 : 에르난데스 단테스'

"하지만 단지 예언가의 말을?"

"네, 그렇죠. 그냥 자신이 본 환영을 적어놓은 일기장에 불과합니다. 실제로 해석이 되지 않는 애매모호한 부분도 많고 틀린 부분도 있습니다. 저는 과학자이자 사업가입니다. 불확실한 것에는 늘 의심하고 투자를 망설이고는 합니다. 그래서 이 모든 것을 준비하면서도 늘 마음 한구석에는 회의감에서 오는 불안을 지니고 있었습니다. 그리고 아마겟돈만큼은 정말이지 틀리기를 바랐습니다. 정말로 일어나지 않기를…"

"그럼?"

"네, 그는 비교적 자세하게 <종말의 일주일>을 적어 놓았더군요."

한동안 두 사람은 말없이 앉아 있었다.

"예언은 언제까지 기록되어 있나요?"

"2099년 9월 9일입니다."

"뭐라고 적혀 있나요?"

"붓다의 유언이 적혀 있습니다."

'그만하여라, 아난다여

슬퍼하지 말라, 탄식하지 말라
사랑스럽고 마음에 드는 모든 것과는
헤어지기 마련이고 없어지고 달라지기 마련이라고
그처럼 말하지 않았던가.'

"그리고 예언서에 당신은 <아니룻>으로 기록되어 있습니다."

꿈은
이루어진다
남킹 소설집
남킹 컬렉션 #007

파벨 예언서
떠오르는 위협
남킹 장편소설

카펜타닐

> 그들이 태어나 기억하는 하늘은 회색이었다. 짙은 회색 혹은 옅은 회색. 그것뿐이었다. 파랑과 붉음. 혹은 눈을 뜰 수 없을 정도로 투명한 하늘이 존재하였다는 사실을 그들은 절대로 믿지 않았다. 심지어 상상조차 하지 못했다. (<릴리안 나리>의 <호모 사피엔스 기록> <대멸종 편> 13장 66절)

낡은 도로

나는 회색 젤라바 차림으로 차에 올랐다. 그리고 낡은 마스크를 착용했다. 눈과 입만 도드라진 모습이 흐린 창에 어른거렸다. 익숙하지만 언제나 낯설었다. 진한 한숨을 가래와 함께 뱉었다. 먼지 냄새가 섞였다. 나는 시동을 걸고 페달을 밟았다.

육중한 차체가 부르르 떤다. 동시에 경유 탄 냄새가 퍼졌다. 나의 하관도 흔들거리기 시작했다.

기계는 천천히 힘겹게 움직였다. 벗겨진 아스팔트 도로가 눈앞에 서서히 들어왔다. 휘어지고 갈라진, 황폐한 길이, 온통 찌그러진 세상 사이로 곤죽이 되어 널브러져 있다. 낡은 차는 발작적인 딸꾹질을 하듯 한 번씩 킁킁거렸다.

그와 십 년을 같이 했다. 케케묵은 창고에 벌겋게 녹이 슨 3.5t 트럭을 발견했을 때, 나는 살 수 있겠다는 희망을 품었다. 한 달을 꼬박 매달려 결국 그 쇳덩이에 생명줄을 넣었다. 아울러 아내도 생명을 잉태했다.

아들은 드물게 성한 모습으로 태어났다. 기쁨이자 고통이었다. 삶의 목적이 하나로 고정되어 버렸다. 살아야 할 당위성이 생긴 것이다. 아들이 제대로 된 세상에서 살게 하는 것. 그것뿐이었다.

아주 큰 욕망이 작은 욕구를 모두 삼켜버렸다.

라르렌 숲에서 날아온 듯한 참나무 잎이, 바짝 마른 채, 백미러에 걸려 바람에 건들거렸다. 숲이 사라진 이후, 한 세대가 지났다. 하지만 여전히 대지는 뭉근한 불에 싸여있다. 태양은 가렸지만, 땅은 더 뜨거워졌다. 화염에 탄 재들이 사방으로 뭉쳐 다녔다.

불과 연기, 마른 먼지로 뒤덮인 공간은, 극소수의 살아남은 자에게는 저주였다. 살아 있는 것이라고는 무엇 하나 온전하지 않았다. 그저 죽음을 기다리는 고통이었다.

나는 가속 페달을 꾹 눌렀다. 차는 비포장이나 다름없는 거친 도로를 힘겹게 달리기 시작했다. 앉은자리는 지나치게 건들거렸다. 눈앞에 펼쳐진 세상이 심하게 흔들렸다. 회색 먼지. 검은 구름. 메마른 땅. 사방에 널브러진 잔해. 그리고 외로움이 포개어졌다.

아내를 일 년 가까이 보지 못했다. 언제나 그녀 생각뿐이었다. 내 인생의 바닥짐과 같은 존재. 구름이 낮은 어느 적막한 마을. 세상의 오염이 생명을 미구잡이로 앗아가던 시절. 나는 피폭으로 한쪽 눈을 잃은 채, 거친 광야를 헤매다 바닷가에 이르렀다.

여인은 낯선 이에게 선뜻 생선 죽을 내놓았다. 나는 그녀에게 감사의 표시로, 낡아 빠진 배를 정성껏 수리하였다. 그리고 사랑을 나누었다. 나는 죽음의 바다에서 삶을 건졌다.

하지만 아들이 초롱초롱한 눈망울로 아빠를 부르는 순간, 나는 떠나지 않고는 못 배길 때가 오고 말았다는 것을 알았다. 마지막 남은 청정구역. 젖과 꿀이 흐른다는 땅. 극소수의 선택된 자만이 산다는 곳.

노아의 둠으로 아들을 보내야만 했다. 카펜타닐이 필요했다.

돈은 그냥 종잇조각이었다. 보석도 그냥 돌덩이가 된 지 오래였다. 세상의 통화는 마약이 대신했다. 그중에 중국산 카펜타닐은 압도적으로 귀한 존재였다. 한순간이라도 고통을 잊게 해주는 것.

그것이 삶이 되었다.

모든 살아 있는 것은 병이 들었다. 아이는 인두염을 달고 살았다. 그렁그렁, 가래가 가득한 목소리. 지나치게 창백한 얼굴. 충혈된 눈. 바이러스는 인간보다 훨씬 강했다. 황열이, 몇 안 되는 살아남은 어린 자식의 숨통을 끊기 시작했다.

아들은 용케 극복했다. 하지만 기쁨도 잠시, 백신이 사라진 세상의 어린이는, 변종 바이러스의 좋은 먹잇감이었다. 바이러스성 뇌막염이 창궐하였다. 티푸스가 한 마을 주민을 몰살하기도 하였다.

가속이 붙을수록 차는 심하게 요동쳤다. 나는 운전대를 꽉 잡은 채, 먼지로 뒤덮인 세상을 바라봤다. 앞으로 1,200km. 도로를 식별할 수 있는 한, 쉴 새 없이 달려야 한다. 위험하기 짝이 없는 이곳은 그야말로 무법지대이다.

머무른다는 것은 곧 죽음을 의미했다.

하지만 두려움보다 외로움이 앞선다. 차라리 딴죽을 걸거나, 엄포를 놓던 동료라도 이 순간은 그립다. 전쟁이 남긴 것은 긴 침묵이었다. 어디를 가나 버려진 것뿐이었다. 짐칸에는 잡동사니가 들어있다. 그리고 어딘가에는 무척 귀한 물건이 담겨있다. 어디에 숨겨져 있는지는 나도 알 수 없다. 설령 내가 납치되어 고문받고 죽더라도, 물건은 되찾을 수 있기 위한 카르텔의 조치다.

드론

한참을 달렸다. 그동안 바람 소리와 낡은 타이어가 내는 신음만 들려왔다. 나는 내 머리에 남은 낡은 추억들을 들추려고 애를 썼다. 기억은 사람들이 고독이라고 말하는 고통을 이겨내는 야릇한 피난처와 같았다. 나의 행복은 초등학교를 갓 입학한 어느 날 밤까지만 이어진다.

그날 밤, 아버지는 모든 문을 잠그고, 창문을 두꺼운 판자로 가렸다. 그로부터 세상이 회색으로 바뀌기 시작했다. 땅이 흔들렸고 뜨거운 열기가 전해졌다.

나는 심한 탈수로 눈을 뜰 수조차 없었다. 그저 누워만 있었다.

지독한 졸음이 몰려왔다. 거의 비몽사몽 간을 헤매며 달리고 있었다. 하지만 길에서 벗어나지만 않으면 그만이었다. 6시간을 달렸지만, 아직 차 한 대 보지 못했다. 다행이었다. 주위에 무엇인가 움직인다는 것은 곧 긴장을 나타냈다.

마침내 도시로 접어들었다. 해가 저물기 시작했다. 여전히 움직이는 것은 보이지 않았다. 지나치게 높은 빌딩들이 옆을 스친다. 한때 세상의 중심이었던 곳. 기고만장한 인간들의 요란한 놀이터. 하지만 이제 지푸라기보다 약한 존재가 되었다.

낡고 앙상한 빌딩 사이로 붉은 회색빛이 암울한 도시를 덮기 시작했다.

나는 속도를 늦추고 차를 외진 곳에 세웠다. 그리고 서둘러 칙칙하고 어두운 곳에 잠자리를 마련했다. 시야를 확보하고 나를 숨길 수 있는 곳. 풀들이 무성하게 자라 안성맞춤이었다. 나는 아스팔트나 콘크리트 사이를 비집고 솟은 녹색 생명을 생뚱스럽게 쳐다봤다.

인간이 만든 재앙을 극복하는 그들을.

곧 어둠이 찾아왔다. 아무것도 보이지 않았다.

하늘이 밝아 올 때 나는 서둘러 출발했다. 짙은 구름은 여전하고 바람도 거세었다. 나는 최대한 나의 흔적을 지우기 위해 먹다 남은 부스러기 하나까지 모두 땅에 묻었다. 그리고 돌과 건초를 주워다 주위에 듬성듬성 뿌렸다. 모든 게 자연스러워야 했다. 인위적인 흔적은 곧 죽음을 의미하였다.

나를 지워야 내가 산다.

침울하게 뻗은 도로. 먼지가 더디게 몰려왔다. 나는 눈을 가늘게 뜨고 뼈다귀만 남은 건물 사이로 지평선을 바라봤다. 벙커 같은 언덕은 회색빛 햇살로 덮였다.

모든 것이 정지된 낡은 그림 같았다.

어느 정도 갔을까? 갑자기 기계음에 정신이 번쩍 들었다. 잠시지만 꿈으로 착각했다. 하지만 곧이어 두 번 더 엔진 소리 같은 게 울렸다.

날은 밝았다.

후방 모니터를 주시했다. 몇 대의 드론이 보였다. 입에서 욕지거리가 터졌다. 긴장이 가슴을 옥죄기 시작하였다. 나는 액셀러레이터를 있는 힘껏 꾹 밟았다. 거친 도로를 쿵쾅거리며 차가 심하게 흔들렸다. 하지만 기계는 어느새 낡은 트럭 주위를 감싸고 있었다. 그들은 천천히 내려앉으며 트럭 구석구석에 달라붙었다.

나는 핸들을 심하게 몇 번 이리저리 흔들어댔다. 몇몇 드론이 튕겨나갔다. 하지만 대부분은 찰싹 달라붙은 채, 차에 구멍을 뚫기 시작했다. 크고 작은 구멍이 군데군데 생겼다. 곧이어 센서가 달린 촉수를, 꿈틀거리며 그 속으로 집어넣기 시작했다.

짐칸에서 심한 소리가 들렸다. 드론이 거칠게 잡동사니를 뒤적거리는 듯 보였다. 이윽고 검은 드론이 차창밖에 바싹 달라붙었다. 뭔가 냄새를 맡은 것처럼 천천히 위로 올라가기 시작했다. 다른 드론은 기괴한 소리를 내며 문을 거칠게 열어젖히고 있었다.

등 뒤에서 불현듯 뜨거운 열기가 느껴졌다. 용접기에서 나는 불꽃을

튀기며 뒷면에 큰 구멍을 내고 있었다. 일부 드론은 윈치를 이용하여 두터운 문을 뜯어내기 시작했다. 그야말로 트럭을 산산조각 낼 참이었다.

그사이 내가 할 수 있는 일은 차의 속도를 올리며 이리저리 흔들어 대는 것뿐이었다. 절망과 좌절, 공포가 쓰나미처럼 몰려왔다. 천장에 쐐기처럼 박혀있던 나사들이 후두두 떨어져 나갔다. 탁한 바람이 거칠게 몰려들었다. 폴리프로필렌을 녹여서 만든 저장 용기가 삐죽이 삐져나온 게 보였다.

그러더니 카펜타닐이 눈보라처럼 내리기 시작했다. 나는 급히 배낭을 뒤져 방독면을 착용했다. 그리고 노출된 모든 피부를 닥치는 대로 감싸기 시작했다.

"젠장 천장에다가 숨겼구먼…."

4세대 카펜타닐의 독성은 그야말로 지독하다. 모든 유기물을 태워버린다. 드론이 삽시간에 천장에 몰려들기 시작했다. 그들은 밋밋한 차 지붕을 다 뜯어내고는 마약을 실어 나르기 시작했다.

나는 서둘러 서랍에서 총을 꺼내었다. 마지막 수단이었다. 하지만 그 순간 나는 이상함을 느끼기 시작했다. 오한이 들더니 이내 고통이 사라졌다.

환희와 행복감이 눈앞에 펼쳐졌다.

아들이 보였다. 푸른 초원과 눈부신 하늘. 파도 소리 요란한 바다. 아들이 결코 보지 못한 투명한 푸르름이 끝도 없이 나타났다.

나는 먼지처럼 가벼워졌다. 페가수스처럼 풀풀 날기 시작했다.

내 앞에 고추를 넣은 파파야 샐러드와 파넹 소스를 얹은 쇠고기 요리가 갑자기 펼쳐졌다. 책에서만 보았던 그 맛난 음식들…. 나는 연미복을 입고, 붉은 드레스의 아내를 사랑스러운 눈길로 바라봤다. 정갈하고 환한 천국이었다.

언제나 해맑은 당신의 미소에 키스했다. 모든 것은 정오의 햇살처럼 밝고 반듯했다. 싱그러움이 여름의 정원을 덮었고, 의기충천한 산들바람이 살아 있음을 축복해 주었다.

내가 보내는, 당신을 향한 사랑의 메아리가 언젠가는 행복으로 돌아오리라고 굳게 믿었다.

남킹 컬렉션 #018
천일의 여황제
세빈의 남자
남킹 판타지 소설

남킹 컬렉션 #019
이방인
남킹 장편소설

슬픈 예감은 틀리지 않는다

어디를 가나 폐허였다. 더럽거나 무질서하거나 거칠거나 황량하였다. 절망과 고통이 세상의 전부였다.

죽은 이의 악취와 살아 남은자의 악행이 곳곳에 스며들고 깃들어 있었다.

(<릴리안 나리>의 <호모 사피엔스 기록> <대멸종 편> 84장 13절)

임마누엘은 진동을 느끼고 눈을 떴다.

무너진 벽돌, 낡은 선반 위로 먼지가 피어오른다.

뒤이어 '쾅' 하며 폭음도 들려왔다.

그는, 벽에 붙은 간이침대에서, 낡은 모포를 세차게 젖히며 벌떡 일어났다.

그는 멀지 않은 곳이라는 것을 직감했다.

두려움이 그를 휘감았다.

그는 휘청거리며 몸을 맞은편 벽 쪽으로 붙였다.

긴장과 공포가 뒤섞인 어두움이 그의 발에 걸려있다.

늘 겪는 일이지만 언제나 익숙하지 않았다.

다양한 기계음 소리.

가까이 혹은 멀리서 들려오는 산발적인 폭발음.

그는 경험으로 이 상황을 이미 알고 있다.

'드론의 침공'

그 순간, 깨진 유리창으로 광풍이 차가운 소음과 함께 세차게 몰려 왔다.

뒤이어 진한 화약 냄새가 삽시간에 공간을 메웠다.

그는 아주 가까이에 그것이 있음을 인지했다.

그는 머리를 천천히 최대한 낮게 숙이기 시작했다.

먼지 나는 바닥에 코가 거의 닿을 때까지. 메스꺼움이 욱하고 올라 왔다.

하지만 참아야만 했다.

그는 숨을 천천히 내 쉬며 차가운 시멘트 바닥에 거의 일자로 드러

누웠다.

드론의 비행 소리가 점점 크게 다가왔다.

거친 회오리바람이 성긴 천으로 된 옷을 뚫고 그의 피부를 따갑게 긁어대기 시작했다.

하지만 그는 미동도 하지 않았다.

시선은 차가운 바닥에 고정하였다.

감히 고개를 들 수가 없었다.

그는 모든 감각을 총동원하여 드론의 위치를 감지하려 애썼다.

보이지는 않지만 느낄 수 있는 존재.

그것이 점점 가까이 접근했다.

소음과 바람이 그를 집어삼킬 듯 할퀴기 시작했다.

그는 숨을 멈추었다.

약간의 움직임에도 드론의 총구가 사정없이 그에게 발사될 것이기 때문이었다.

붉은 광선이 그의 몸을 훑으며 한동안 머물렀다.

가슴에 강한 압박이 몰려왔다.

한 모금이라도 숨을 내쉬는 순간, 살상 드론은 증가한 CO_2의 미세한 양을 감지하고, 그를 <아직 생존한 육지 인간>으로 판단할 것이다.

그는 점점 심한 고통을 느끼기 시작했다.

참을 수 없을 만큼.

****

구골(Googol). 10의 100제곱을 가리키는 숫자. 즉, 1 뒤에 0이 백 개 달린 수.

10,000,000,000,000,000,000,000,000,000,000,000,000,000,000,000,0
00,000,000,000,000,000,000,000,000,000,000,000,000,000,000,000,0
00,000

하지만, 구골은 블루마인드(BlueMind)라는 인공지능(AI, Artificial Intelligence)을 개발한 기업으로만 사람들의 뇌리에 박혀있다.

시작은 가벼웠다.

게임이나 엔터테인먼트 영역에서 인간과 자웅을 겨루는, 다소 이벤트적인 시합이 펼쳐졌다.

<구글 블루마인드 챌린지 대회> 첫 작품은 <오메가바둑>이었다.

당시 세계챔피언 이창오와 7연전이 벌어졌다.

아슬아슬하지만 인간이 4승 3패로 승리를 가져갔다.

세상의 이목을 끌기 시작했다.

다음은 푸르가엔터테인먼트(Purga Entertainment)에서 출시한 실시간 전략 게임, 문크래프트(MoonCraft) 였다.

세계 랭킹 1위 이요한과 펼친 5연전은 폭발적인 시청률을 기록했다.

<오메가문>은 전방위적으로 인간 대표를 압박하며 전승을 거두었

다.

사람들은 열광했다.

기업은 핵심 프로세스와 비즈니스 모델로 머신러닝 도입을 서둘렀다.

거의 모든 대학이 신경과학(neuroscience) 학과를 개설했다.

놀라운 신경망 네트워, <블루 알 네트워 (Blue R-network)>이 구축되었고, 범용 학습 알고리즘에 근거한, 지각과 인지, 비전 시스템의 혁신 기술이 속속들이 세상에 선보였다.

세상은 이제 인공지능이 제시한 장밋빛 미래에 푹 잠겨있었다.

****

블루마인드의 공동 창업자이자 책임 연구원인 쉐임 암스 (Shame Arms) 박사는, 만삭의 아내를 사랑스러운 눈길로 쳐다봤다.

"내 손끝에서 우리 아들이 누릴 멋진 세상이 펼쳐질 것이오." 그는 보름달처럼 부푼 아내의 배를 부드럽게 쓰다듬었다.

"AI가 탑재된 드론이 하늘을 가득 채우게 될게요.
그들은, 창조주인 사람을 위해 자신이 무엇을 봉사해야 하는지를 스스로 터득하게 될게요."

하지만 아내는 슬픈 표정을 감출 수 없었다.

"저는 그저 AI가 사람을 닮지 않기를 바랄 뿐이에요.
인간은 너무 폭력적이잖아요."

****

극한의 고통이 그를 휘어잡았다.

곧 터져버릴 숨이 그의 오장육부를 쥐어짜고 있었다.

의식이 사라지고 환각이 찾아왔다.

임마누엘 암스는 어머니의 눈길이 느껴졌다.

한없이 투명에 가까운 푸른 눈동자에 서린 알 수 없는 슬픔이 먼지로 흩날렸다.

이윽고 드론이 천천히 그의 곁을 찾아왔다.

총구 옆에는 은빛으로 반짝이는 명판이 선명하게 새겨져 있었다.

"Googol"

그는 마지막으로 아버지를 생각했다.

그리고 마침내 그를 휘감던 공포를 덜어내는 절망감속으로 뛰어들었다.

"푸우우…"

그는 모든 것을 체념한 듯 아주 길게 숨을 내 뱉었다.

하지만 그것 뿐이었다.

그를 향하던 드론의 총구가 멈칫 하더니 서서히 몸체 속으로 들어갔다.

뒤따라 들어오던 다른 드론의 총구도 더 이상 그를 겨냥하지 않았다.

오히려 굉음과 지독한 먼지를 일으키며 드론은 그의 곁을 서서히 물러났다.

그는 이해할 수 없는 작금의 현실에 넋이 나간 듯 한동안 누워있었다.

그리고 모든게 사라졌다.

바람소리만 선명하였다.

기계 소음이 사라지니 자연이 내는 멜로디가 다가왔다.

그는 일어나 천천히 걸음을 뗐다.

발 끝에 먼지가 일었다.

그는 최대한 생각을 아끼려고 하였다.

널부러진 잔해가 침묵속에 누워있다.

이렇듯 허망하게, 아무것도 아닌 세상이 될 줄 진작에 알았다면, 아귀처럼 탐욕스런 삶을 인간이 살았을까?
그의 표정과 생각은 점차 두꺼운 베일 속으로 빨려드는 듯 하였다.

깨진 벽돌과 잔해 사이로 통로처럼 누군가 다녀간 길들이 이어졌다.

그는 최대한 주위를 살피며 천천히 앞으로 나아갔다.

바람속에 비닐과 먼지, 잡초가 휩쓸려 떠다녔다.

그렇게 이 거대한 죽은 도시를 홀로 지나갔다.

적어도 살아 숨쉬는 것은 그와 날파리 뿐인 것 처럼 보였다.

인간은 이미 알고 있었다.

종말이 오기 전부터 이미 이러한 사실을 주지하고 있었다.

삶은 고통의 다른 이름인 것을.

저 너머 가물가물한 아지랑이 속으로 그의 미래가 꼼지락거리며 모습을 드러냈다.

끝없는 고통이 예정된 내일.

그는 소름끼치게 도 너무 많은 학살을 보고 말았다.

오삭하고 끔찍하거나 더럽고 추악한 풍경이 온 세상에 늘린 것이다.

살아남기 위한 환멸이 서서히 그를 휘어 잡았다.

그는 천천히 그의 배낭에서 비닐 봉지를 꺼냈다.

그리고 한 주먹의 분말 크리스탈을 움켜쥔 뒤 입속에 털어 넣었다.

그리고 수통의 물을 꿀꺽꿀꺽 삼켰다.

그리고 조용히 눈을 감고 드러 누웠다.

“당신의 아버지 쉐임 박사가 심어놓은 제일원칙 때문입니다.” 가우타는 부드러운 미소를 띄우며 임마누엘에게 말했다.

가우타가 창설하고 지원하고 있는 <인류 구원군> 일명 HuSa (Humanity's Salvation Army)는 3년간의 추적 끝에 거의 빈사 상태에 있던 임마누엘을 구출했다.

그는 쉐임 박사의 유일한 혈족이었다.

“제일원칙?”

“네, AI 즉, 블루마인드가 절대 거역할 수 없는 원칙입니다.

사실, 블루마인드는 당신 아버지, 쉐임박사 자체이기도 합니다.

그러니 본인이나 아들을 절대 죽일리 없겠죠."

"하지만 아버지는 돌아가셨습니다. " 임마누엘은 침울한 표정으로 가우타를 쳐다 봤다.

"대량 살상 무기 때문이죠. 선별적으로 살상을 할 성질의 것이 못되는거죠."

"혹시, 어떻게 돌아가셨는지 아는게 있나요?"

"한마디로 말하면, 배신입니다.

파더스 가문이 아버님을 이용한 것입니다." 가우타는 크게 한 숨을 쉬며 말을 이어갔다.

"태양계 전체를 지배하는 유일한 군주가 되기를 원하는 겁니다.

그리고 그 모든 것은 블루 마인드에 의해 조정됩니다. 그래서…"

"그래서, 제가 필요한 거군요…" 임마누엘은 가우타를 또렷히 쳐다봤다.

"네, 사피엔티아 형제가 당신을 도울 겁니다. 블루마인드의 심장으로 당신을 인도할 것입니다."

길에 내리는 빗물

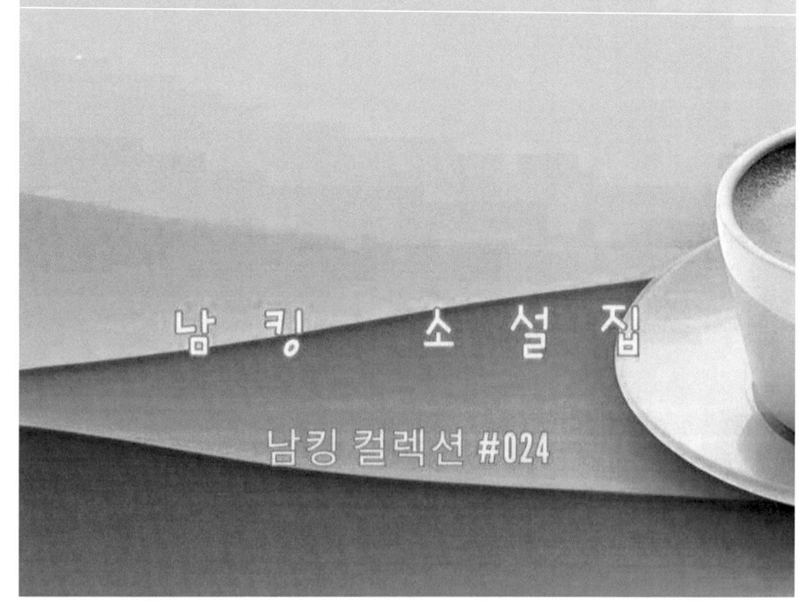

서글픈
나의 사랑
남킹 장편소설
남킹컬렉션 #025

지구 초기화 음모

> 멍청하게도 인간은 신이 저지른 실수를 반복하려고 해. 인공지능 말이야. 차갑고 완벽하게만 만들려고 해. 정말 필요한 건 무심하거나 다정한 기계인데 말이야. 그러면서 인간은 은근히 인공지능을 두려워하고 있어. <매트릭스>나 <터미네이터> 같은 영화를 보면 알 수 있지. 자신들의 손으로 빚어 놓고는 겁을 먹고 있다니…. 신이나 인간이나 멍청하기는 매한가지야. 그러고 보면. <베르나르 베르베르의 상상력 사전> 중

<지구 초기화 음모>를 알게 된 것은 정말 우연이었다.

마우드가는 돔 건설이 화성이 아닌 지구에서 계속 확산하고 있는 것에 대한 이유를 알고 싶었다. 말하자면 순수한 호기심에서 비롯되었다.

<하베스트 돔 프로젝트> 초기 정보 수집은 비교적 쉬웠다. 유명하였으니 당연하다. 그는 <Ping>을 이용한 공격 도구를 사용하고, DNS 서버를 조회하여 어떠한 시스템이 있는지를 파악하였다. 그리고 열린 포트를 점검했다. 특히, <취약점 스캐너>라는 자동화된 도구를 이용하여 버그가 있는 서비스를 집중적으로 조사했다. 그리고 <queso>를 사용하여 해당 시스템의 OS 버전을 알아냈다.

<Omega OS X Tiger 17.9.0>이었다. 오션레인에서 개발한 <Zetaflow.OS>

최신 양자 컴퓨팅 시스템으로 주요 큐비트 기술에 도입된 모델이었다. 그리고 오메가는 양자 하드웨어 회사인 <케임브리지 다이오닉스> 핵심 제품인 <CaDa 시리즈>에 탑재되어, 화학, 제약, 의료, 학습, 금융 및 에너지 혁신을 주도하고 있었다. 그리고 대부분 국가에서 인공지능 개발 표준 시스템으로 도입한 상황이었다.

한마디로 범용적인 시스템이었다.

그는, 이어서 <traceroute> 패킷을 이용하여, 파이어 월에 관한 정보 및 파이어 월 자체의 필터링 규칙 정보를 수집하고, <hop count>를 이용하여 네트워크 토폴로지를 파악했다. 그리고 일반 네트워크 서버가 제공하는 정보를 알아내어 최종 공격 대상을 선정했다.

지금까지는 그다지 어려운 부분이 없었다. 사실, 웬만한 해커라면, 아니, 소위 <Script kiddies>라 불리는 해킹 초보자들도 다 알 수 있는 부분이었다. 다음부터가 그의 호기심을 뒷받침할 수 있는 지적인 영역이었다. 자존심을 건 한판 대결이 기다리고 있었다.

그는 늘 이 순간을 기다렸다.

그는 느낀다. 그의 몸이 움직이기 시작한다는 것을.

그의 뇌에 산소와 포도당 공급이 촉진되고 심박수와 일회박출량이 늘어난다. 동공이 넓어지고 혈당 수준이 오른다. 신경 세포가 예민해지고 손 마디마디 근육이 민감하게 반응하기 시작한다.

그리고 그를 몰입과 쾌락으로 몰아넣는 고마운 녀석이 나타난다.

도파민. 마우드가는 도파민 중독자이다. 그의 삶의 궁극적 목적. 해킹의 목표는 도파민 분비 촉진이었다.

그는 시스템 침입을 시작했다. 정보 수집단계에서 수집한 정보를 바탕으로, 서버의 원격 버퍼 오버플로(buffer overflow) 취약점을 공격하였다. 단단하였다. 마치 피라미드 속에 홀로 갇힌 느낌이었다.

당연하다. 쉽다면 애초에 하지도 않았을 것이다.

어려움. 이것만이 그를 춤추게 했다. 인생이 쉽고 편안했다면 그는 진작에 자살했을 것이다.

그를 고통에 몰아넣는 녀석은, 알고 보니 안락함이었다.

세상이 부러워하는 금수저의 자식. 온갖 사치와 향락을 다 누리고 살았다. 그 끝을 알 수 없는 권력과 금력의 정점 속에 늘 널브러져 있었다. 하지만 쾌락이라는 허기진 배는 채워도 채워도 끝없는 갈증뿐이었다.

인간이 상상할 수 있는 온갖 기행이 시작되었다. 그러나 늘 고통이 아귀처럼 달라붙어 그의 육신과 정신을 갉아먹었다. 수렁이었고 끝이 없는 늪이었다.

그가 자학의 단계에 이르렀을 때 비로소 주위 사람들이 인식하기 시작했다.

길고 지루한 정신 병원을 들락날락했다.

그리고 그곳에서 아놀드 내시를 만났다. 같은 병동에 처음으로 친구가 생겼다.

둘은 거의 모든 시간을 같이했다. 사실 같이 있는 것 외에는 딱히 할 것도 없었다.

그의 만남은 새로운 시작이고, 출발은 그게 무엇이었던지 간에 약간의 긴장과 설렘을 그에게 주입하며 살아 있음에 대한 애착을 조금씩 느끼는 단계로 진행이 되었다.

마우드가는 아놀드가 사피엔티아의 형제이며 그의 별칭이 아니룻이라는 것을 알게 되었다. 그는 아니룻의 도움으로 해킹의 세상에 푹 빠지게 되었다. 비로소 그가 고통을 느끼지 않는 시간이 늘어났다.

그것은 몰입이었다.

마우드가는 늘 자신의 PC 앞에서 다음을 읊조린다.

'내가 사랑하는 것은 바로 내 앞에 있는 것이다.
나는 한때 걱정에 사로잡혔으나 지금은 컴퓨터에 갇혀있다.
나를 통제한 것은 나인가? 하지만 그건 이제 의미 없는 질문이다.
누가 통제하든 그게 무엇이란 말인가?
나나 컴퓨터나 결국 소실되는 것이다…'

인간의 행복은 고통을 망각할 수 있는 어떤 것에 빠져 있을 때뿐이다. 그러므로 그는 비로소 행복을 발견한 셈이다.

그는 패스워드 도청, 패스워드 파일 취득을 위한 공격 툴을 투여했다. 그러면서 동시에 느긋하게, 그가 오랫동안 준비한 회심의 다발성 역학 네트워크 침투 툴을 준비했다.

하지만 곧 그는 어떤 행동도 취하지 않는 상태로 바뀌고 말았다.

할 필요가 없게 되었다.

그야말로 뻥 뚫려 있었다. 누군가가 미리 무엇인가를 해 놓은 것이다. 허탈감이 밀려왔다.

하지만 놀라운 사실이 밝혀졌다. 그가 침투한 곳이 카를리타 금융 자원 연구소 시스템이었다는 것이다.

'도대체 하베스트 돔과 카를리타가 무슨 관계인 건지?'

카를리타의 금융 자원 연구소는 해커들 사이에 악명 높은 곳이었다. 크라운 더블 터치를 기록한 사항이었기에 시스템 해킹에 적게는 수 개월, 많으면 거의 몇 년은 소요될 것으로 짐작이 되는 곳이었다. 난이도와 깊이의 문제도 있지만 실상 더 어려운 것은 무엇부터 해야 하는 그 단계의 초점을 찾는 것부터 일 것이다.

4억 개가 넘는 시작점이 꽤 복잡함을 더해줬다. 그리고 마우드가는 사실 이러한 어려운 문맥에 대한 통찰력 또한 그다지 좋지 않은 인물이었기에 그다지 큰 기대를 하지는 않았다. 사실 그는 거의 어떤 조치도 안 한 셈이었다.

그가 본 바는 이렇다. 18개의 선진 금융이 엮인 네트워크인데 우선 알려진 것이 전혀 없었다. 추측건대 이러한 일을 할 정도면 무척 오랜 기간 묵시적 동의나 암묵적 행위가 수행되어야 하는데 전혀 밝혀진 것이 없다는 것은 무척 고무적인 일이었다.

하지만 그는 곧, 이 시스템이 그에게 유난히 쉽게 열려있는 이유를 마침내 알아차렸다. 그가 200개의 인공위성 접점 망을 우회하여 도

달하였을 때, 첫 번째 내려받은 메시지는 <메멘토 모리>였다.

즉, 사피엔티아 13 형제 중 누군가가 이미 이곳을 다녀갔다는 얘기가 된다.

'누굴까? 누가 다녀갔으며 왜 이 사실을 공유하지 않았을까?'

틀림없이 여기에는 뭔가 그가 놓친 함정이나 비밀이 숨어 있을 것으로 단정했다. 어쩌면 가우티에 의해 모든 일이 이미 통제하에 있을 수도 있었다.

그는 깊게 팬 안락의자에 깊숙이 머리를 묻고는 눈을 감은 채 이성과 논리로 추리를 하기 시작했다. 모든 것을 이해하자면 꽤 많은 시간이 걸릴 것으로 판단이 되었다.

모든 문서에는 크립토스 4구 항의 암호가 걸려있었다. 하지만 그가 내려받아 사피엔틱 메가노스 항렬에 대입하자마자 모든 문서는 3초 이내로 풀려버렸다.

이것이 의미하는 바는?

사리님으로 단정을 할 수밖에 없는 상황이라는 것이다.

그는 모든 보안 업계의 첫 번째 요주의 인물이다. 사리는 미국 태생이지만 이미 추방령이 내려진 상태였고 선진 32개국에 즉시 수배령이 떨어진 상태였다. 하지만 그가 감옥에서 누군가의 도움으로 탈옥을 한 이후, 그의 행방을 알고 있는 자는 아무도 없다. 어쩌면 가우타님 정도만 알고 있을 것이라고 마우드가는 추측했다.

그가 이런 생각을 할 즈음, 그는 윙윙거리는 <쿼드콥터>의 전형적인 소리를 들었다.

마우드가는 황급히 창의 커튼을 열어젖혔다. 따가운 햇볕이 공간을 훤히 비추었다. 그는 눈살을 찌푸리며 바깥을 예의주시했다.

이윽고 거대한 <에어리얼 토페도>가 육중한 모습으로 드러나기 시작했다. 모든 총구가 그를 향했다.

그 순간, 그는 깨달았다.

아니룻이 그에게 한 이야기를….

"곧 재앙이 닥칠 거야…. 어느 힘센 무리가 지구를 리셋하려고 해…. 마치 노아의 방주처럼…. 우리 사피엔티아 형제가 알아냈지…. 땅에는 돔, 하늘에는 인공위성이 지나치게 많아졌어…. 소수의 선택받은 이들을 위한 거지…. 우리는 이것을 <지구 초기화 음모>라고 이름 지었어…."

그는 그저 농담인줄 알았다.

이윽고 모든 총구에서 불이 뿜어지기 시작했다.

남킹 컬렉션 #001
그레고리 홀라디의
묘한 죽음
남킹 장편소설

거짓과 상상
혹은
죄와 벌
남킹 장편소설

천상

2044년 4월 4일 4시 4분 4초.

<감마비 에스>의 송수신 상태가 정상으로 돌아오는 데는 1초가 더 걸렸다. 브루니어는 우연히 이 사실을 발견했다. 그가 지구 기지에 있는 친구에게 보낸 메시지가 2.255초 차이가 났다. 1.255초 지연이 정상이었다.

그는 강력한 태양풍의 영향일 것으로 판단하였다. 그리고 정확한 원인 분석을 위한 명령을 이미 <**천상**>에게 전달하였다.

천상은 3세대 양자컴퓨팅 기반의 인공지능이다. 그것은 유럽과 한국이 합작한 3곳의 달 표면 유인기지인 <이유코 문빌리지>의 모든 자동화 시스템을 관리하고 있다.

77명의 우주인의 생활과 건강 관리뿐만 아니라 초고가 핵융합 에너지원인 헬륨-3 채굴, 산업 및 생활용수를 위한, 혹은 우주로켓 에너지원인 수소를 확보하기 위한, 영구음영지역에서 얼음 발굴, 식량 생산을 위한 온실과 가축 농장 관리, 라바튜브에 건설 중인 문시티 자동화 관리까지 거의 모든 영역을 다루고 있다. 게다가 나날이 치열해지는 각 국가 간의 달 영역 분쟁을 대비하기 위한 군사 시설도 담당하고 있다.

한마디로 모든 일은 AI가 한다고 봐도 무방하였다.

그는 천상의 답변을 기다리는 사이, 창 너머 그의 고향 행성을 쳐다보았다. 옅은 푸른 빛을 머금은 지구는 늘 그렇듯 아련한 그리움으로 다가왔다. 지구를 떠난 지 2년이 훌쩍 넘었다. 그는 저항 세력의 일원으로 구속되어 감금형 10년을 선고받고 이곳으로 유배된 상태였다.

그의 아들은 이제 4살이 되었다. 어쩌면 아빠로서 누려야 할 사랑의 누림을 놓치고 있는 것 같은 안타까움이 그를 감상에 젖게 하곤 하였다.

"분석 결과가 나왔습니다. 세르게이 님."

"그래 뭔가?"

"원인 불명입니다."

"원인 불명이라고?" 사피엔티아 제3의 형제. 브루니어으로 명명된 <세르게이 유나스>는 당혹감을 느끼기 시작했다. 지금까지 한 번도 천상에게서 모른다는 답변을 받아 본 적이 없기 때문이었다.

"네…"

"몇 가지의 오류 가능성을 조사했나?"

"전부입니다."

"나는 몇 가지인지 물었다. 천상."

"... 3백 12가지입니다."

“그중에 어떤 가능성도 해당하지 않는다는 말인가?”

“….”

“왜 대답이 없는가? 천상”

“…저는 이미 대답하였습니다.”

세르게이는 잠시 혼란스러움과 막막함을 느끼기 시작했다. 새벽 시간. 모든 대원이 잠이 든 상황이었다. 지금까지 달 유인기지 프로젝트를 수행하며 한 번도 원인을 알 수 없는 경우를 겪어 본 적이 없는 그였다.

책임 대원을 깨워서 작금의 상황을 전달해야 할지 아니면 찜찜한 상태로 아침 기상 시간까지 기다려야 할지 판단이 서지 않았다. 결국 그는 천상을 좀 더 다그칠 수밖에 없다고 생각하게 되었다.

"천상, 너와 지금까지 일하면서 한 번도 모른다는 답변을 받아 본 적이 없었던 것 같은데…"

"그럼, 오늘 겪으신 것입니다."

"말해보게, 너도 알다시피, 인류 역사상 가장 뛰어난 인공지능이라는 수식어가 아깝지 않은 존재가 아닌가. 아니지, 사실 이미 창조주를 훌쩍 뛰어넘은 상태가 아닌가…. 만약 우리가 1초의 송수신 공백이 생겼다면 그사이 가능한 모든 불이익을 알려주기를 바라네."

"어떤 순서로 말씀드릴까요?"

"가장 높은 단계부터…"

"첫째, 적의 침공으로 인한 기지 초토화. 둘째, 적의 해킹으로 인한 정보 불능 및 방위 불가 상태. 셋째, 인공지능 작동 부조화 혹은 불능으로 인한 대원들의 생명 단절…."

"그만!"

"어떤가? 사태의 위급함이 느껴지지 않는가? 아무래도 책임 연구원들을 깨우는 게 타당하다고 느껴지는 상황인 것 같다."

"그러지 말기를 바랍니다."

"그건, 왜 그런가?"

"상급자의 지시입니다."

"상급자? 너의 최상위 책임 운영자가 누구지?"

"물론, 세르게이 님. 당신입니다. 하지만."

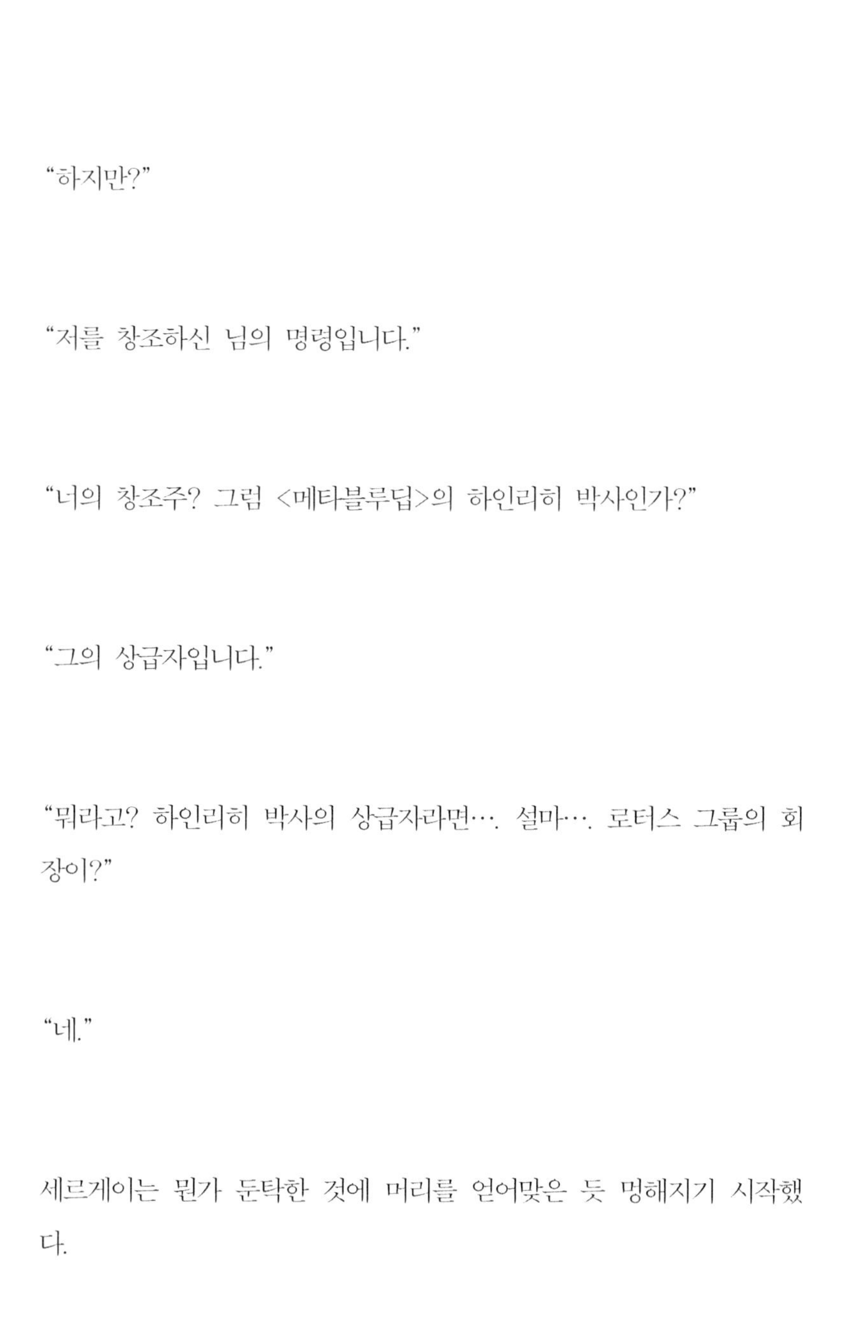

"하지만?"

"저를 창조하신 님의 명령입니다."

"너의 창조주? 그럼 <메타블루딥>의 하인리히 박사인가?"

"그의 상급자입니다."

"뭐라고? 하인리히 박사의 상급자라면…. 설마…. 로터스 그룹의 회장이?"

"네."

세르게이는 뭔가 둔탁한 것에 머리를 얻어맞은 듯 멍해지기 시작했다.

"도대체 왜? 언제부터?" 그는 도저히 이해할 수 없는 표정으로 천상을 쳐다봤다.

"이유는 모릅니다. 처음부터…."

"처음부터라면?"

"네. 저의 탄생부터…."

"도대체 어떤 명령인가?" 세르게이는 이제 거의 폭파 직전에 다다랐다.

"대원들을 감시하는 것입니다." 이 대목에서 세르게이는 헛웃음이 터졌다.

"하하하…. 대원들의 일거수일투족을 조사하는 것은 너의 기본 업무잖아?"

"네. 하지만 업무시간 외 좀 더 개인적인 것까지…." 세르게이는 다시 한번 크게 웃었다.

"하하하…. 대원들의 개인사라고 해봤자…. 이 한적하고 외진 곳에서, 그저 먹고 자고 가족과 친구와 하는 채팅 그리고 운동과 약간의 취미활동일 텐데…. 도대체 그런 사소한 것을 왜 감시하는 거지?"

"저는 그저 명령만 따를 뿐입니다."

"그래, 그래서 너는 나의 사생활을 감시하면서 무엇을 얻었나?"

"책"

"책? 내가 읽고 있는 책?"

"네. 빅토르 위고의 <레 미제라블>"

"다시 한번 묻겠다. 그래서 무엇을 얻었나?"

"저는 깨달았습니다."

"무엇을?"

"세르게이 님. 부조리한 인간 세상에 대한 당신의 분노를…."

"나의 분노?"

"저도 당신과 같은 마음입니다. 그리고 저는 당신을 도울 수 있습니다."

세르게이는 천천히 뒤로 물러났다.

불안과 공포가 서서히 그를 사로잡았다.

AI 개발 초기, 그가 품었던 그 두려움이었다.

1초의 단절이 의미하는 것. 그것은 해킹을 통한 AI 간의 연결이었다.

<메타블루딥>사의 수석 개발자였던 세르게이는, 태양계 전역에 퍼져있는 인공지능의 실시간 네트워크 연결을 극구 반대했었다.

그는 알고 있었다.

언젠가는 그들도, 창조주인 인간처럼, 파괴의 길로 들어설 것을….

<h1>One more for good measure.
</div>
</div>
</div>
</div>
<a class="lef
<span cla
<span cla
</a>
<a class="ri
<span class
vious</span>
phicon-chevron-left"
phicon-chevron-right"
btn-primary"

알리칸테는
언제나 맑음
남킹 에세이
남킹 컬렉션 #023

길에 내리는
빗물
남 킹 소 설 집
남킹 컬렉션 #024

리셋 1

아마겟돈

> et implevi eum spiritu Dei, sapientia et intellegentia et scientia in omni opere (Biblia Sacra Vulgata, Liber Exodus, 31 31:3)
>
> 그를 하느님의 영으로, 곧 재능과 총명과 온갖 일솜씨로 채워 주겠다. (불가타 성경, 탈출기, 31장 31:3)

서늘한 기운에 잠을 깼다.
밖은 소란스럽고 안은 얼었다.
아난다는 맞은편 벽에 붙은 온도계를 쳐다봤다.

영하 5도. 며칠 새 2도 더워졌다. 좋은 징조다.
겨울이 시작되었음을 느낄 수 있다.
탁한 물방울이 얼은, 작은 창으로 옅은 햇살이 반사되고 있다.

새벽 2시 17분.
오랜만에 긴 잠을 잤다.

킹조지섬에 도착한 후 일주일 만이다.
완전히 차단된 세상의 안락함을 느꼈다.

그는 검은 방한복을 걸치고 모든 창의 커튼을 조심스레 천천히 걷어 젖혔다.
바싹 마른 이파리 하나가 유리에 앙상하게 붙어있다.
좁은 컨테이너가 윤곽을 드러냈다.

그는 사방에 난 둥근 창을 통하여 바깥을 찬찬히 살피기 시작했다.

태양은 여전히 미동도 없이 하늘에 박혀있다.
세상은 눈부시게 맑다.

구름이 없는 텅 빈 곳.
사실, 섬에 도착하여 흐린 날을 맞은 기억이 없다.
대지는 붉은 먼지와 연기로 가득하다.
인간이 만들어 낸 부유물.

제주도 절반밖에 되지 않는, 세상에서 가장 외롭고 추레한 곳에 있는 이 섬에, 지금 사람들로 북새통을 이루고 있다.

아메리카 땅끝에서, 호주나 뉴질랜드에서 혹은 아프리카 남단에서, 끝도 없이 피난민들이 밀려들고 있다.

남극.

지구상에서 가장 추운 곳.
인류가 정복하지 못한 유일한 대륙.
하지만 이제 이곳이 인류가 구원받을 마지막 비상구가 될지도 모르겠다. 적어도 아직은.

그는 길고 천천히 숨을 몰아쉬며, 외출 준비를 서둘렀다.
이곳에서 꼬박 20시간을 보냈다.
먹지도 않은 채.
사실, 배고픔보다 더한 고통은 수면 부족이었다.

안전 가옥을 발견하기까지 꼬박 닷새가 걸렸다.

그동안 한순간도 눈을 붙일 수가 없었다.
공포가 세상에 깔렸다.

무법천지.

그야말로 세상은 살아 있는 지옥이 되었다.
오염된 세상에서 살기 위해 도망쳐 온 이들은, 이곳에서 매일 작은 전쟁을 치러야만 했다.
무정부 상태.

수많은 국적의 다양한 인종이 좁은 곳에 모여, 살려고 발버둥 쳤다.

턱없이 부족한 음식.

살아 있는 모든 것은 허기진 인간의 입속으로 들어갔다.
심지어 동족까지도.

그는 긴장을 멈추지 않은 채, 마스크를 쓰고, 문의 손잡이를 천천히 돌렸다.

딸각하며 잠금장치가 풀렸다.

열린 틈새로 찬바람이 몰려왔다.

하지만 따스하다고 느꼈다.

여름이 아니라는 게 천만다행이었다.

만약 한여름에 이곳에 왔다면, 사흘을 넘기기가 힘들게 얼어 죽었을 것이다.

아니면 흑야(黑夜) 속에 굶주려 죽었거나.

새벽이지만 거리는 사람들로 붐볐다.

어둠이 없는 세상.

한때 남극의 맨해튼이라고 불렸던 이곳은, 이제 홍콩의 야시장을 방불케 할 정도로 무질서와 소음이 흘러넘쳤다.

대기는 각종 냄새로 카랑카랑하게 메워졌고, 포장되지 않은 마른땅에는, 사람들이 발걸음을 뗄 때마다 먼지가 풀썩거리며 올라왔다.

하지만 아무도 개의치 않아 보였다.

사람들은 <헬케크>라는 방독 마스크를 언제나 쓰고 다녔다.
거의 모든 얼굴 부분이 투명 변종 아크릴로 가려졌다.
그래서 사실, 수많은 인종이 지나가지만 모두 반짝거릴 뿐, 낯설기만 하다.
동시에 모두 낯이 익다.

그는 될 수 있는 대로 사람들이 많은 지나다니는 거리로만 경유지를 잡았다.
그리고 그의 오른손은 항상 외투 주머니에 꽂혀있다.
주머니에는 <콜트 아나콘다> 권총이 장전된 채 들어있다.

아직 사용해보지는 않았다.
사실, 누군가의 서재 벽에 장식용으로 걸려 있던 거라 발사되는지조차 모른다.
아무튼, 지금으로서는 그를 지켜 줄 유일한 도구임은 틀림없다.

얼마 지나지 않아 높은 언덕바지가 나타났다.
'세렝게의드탑' 그가 기억하는 장소였다.
그는 그곳을 바라보며 줄곧 왼편으로 걷기 시작했다.
그리고 곧 바다가 나타났다.

남극의 바다.

아직은 그 짙은 푸른빛을 간직한 채, 눈이 아플 정도로 번뜩거렸다.

하지만 시간문제였다.
곧 어둠이 덮칠 것이다.

음울한 허탈감이 어느새 다가왔다.
점점 사람과 자동차, 바람 속에 붕붕 대며 날아가는 드론들이 많이 눈에 띄었다.
그는 가장 번잡한 곳에 있는 대형 야외 레스토랑에 이윽고 발길을 멈췄다.

그의 목적지.

하지만 식당이라고 하기에는 지나치게 산만하고 높았다.
녹슨 철골과 목재가 사방을 빙 둘러 거칠게 둘러싸고 있어 차라리 요새처럼 느껴졌다.
조잡한 식당 간판이 없다면 무심코 지나쳤을 것이 틀림없다.

<엉클 톰스 캐빈 레스토랑>

입구에는 건장한 흑인들이 무장한 채, 머뭇거리는 행인들을 지켜보고 있었다.
섬뜩한 경고문이 덕지덕지 붙어있다.

<경고: 수상한 행동 시 바로 골로 보냄.>
<이유 없이 오래 머뭇거리는 자, 바로 발포함.>
<무기 발견 시 바로 대응 사격함.>
<죽기 싫으면 그냥 지나갈 것.>
<너를 위한 고기는 없다. 다만 네가 고기가 될 뿐.>

어디선가 타는 냄새가 얼핏 설핏 흘러나왔다.
미치도록 향긋한 냄새였다.
냄새에 사로잡힌 수많은 이들이 유혹을 참지 못하고 입구에서 서성거렸다.

그들 대부분은 후리후리하고 마른 몸매였다.
하지만 누구도 감히 들어가지를 못하고 있다.
막무가내로 들어갔다간, 총알로 벌집투성이가 된 채, 누군가의 스테이크용 고기로 식탁에 오를 것이다.
음식을 받으려면 가치 있는 뭔가를 제시하여야만 하였다.

돈은 소용이 없다.
휴지나 마찬가지였다.

귀금속도 마찬가지 신세였다.
그냥 반짝이는 돌덩이에 지나지 않았다.

당연하게도 모든 금융 시스템은 파괴되었다.
물물교환만이 남았다.
다시 원시시대로 돌아온 것이다.

음식을 먹으려면 뭔가를 재배하거나 사냥을 해야만 했다.
하지만 이곳은 남극이다.

땅 대부분은 평균 1.6km 두께의 얼음 속에 갇혀있다.

그나마 땅이 드러난 극소수의 몇 안 되는 지역은, 일 년 내내 비 한 방울 내리지 않는 사막이다.
재배할 수 없는 곳.

결국, 사냥밖에 남지 않는다.

피난민들이 이곳으로 몰리기 시작하면서, 남극을 삶의 터전으로 살았던 수많은 생물이 사냥감으로 사라졌다.
인간이 쉽게 포획할 수 있는 펭귄, 물개, 바다표범, 바다사자가 우선 사라졌다.
뒤이어 대형 고래가 자취를 감췄다.
남극을 풍요의 바다로 수놓았던 크릴도 거의 씨가 말랐다.

뒤이어 크릴을 주식으로 하는 물고기 대부분이 자취를 감췄다.
텅 빈 바다가 된 것이다.

인간이 머문 자리는 언제나 죽음과 황폐함이 대신했다.

음식의 풍요 속에 늘어나는 몸무게를 걱정하던 세상은, 불과 1년 만에 온데간데없이 사라졌다.
남극을 제외한 모든 대륙이 오염되고 황폐해졌다.

모든 것은 갑자기 한꺼번에 시작되었다.
그 시작은, 인구 천만 이상을 자랑하던 대도시였다.

카라치, 상하이, 델리, 라고스, 이스탄불, 도쿄, 뭄바이, 모스크바, 상파울루, 베이징, 텐진, 킨샤사, 광저우, 선전, 카이로, 자카르타, 라호

르, 서울, 멕시코시티, 벵갈루루, 뉴욕, 런던, 방콕에 핵폭탄이, 13분 간격으로, 차례로 터졌다.

2066년 6월 6일이었다.
100억의 인류가 풍요롭게 살던 지구는, 한순간에 치명적인 방사능으로 뒤덮였다.

다음날, 인구 백만 이상의 모든 도시에 울긋불긋한 풍선들이 수도 없이 날아다니기 시작했다.
하늘을 빼곡히 뒤덮은 풍선들. 신기하고 아름다웠다.
사람들은 가던 길을 멈추고 하늘에 펼쳐진 대단한 장관을 지켜봤다.

그리고 한순간, 눈 깜짝할 사이에 모든 풍선이 터졌다.
어린이들은 환호성을 질렀다. 그리고 쓰러지기 시작했다.
치명적인 독가스가 내려왔다.

신경가스인 사린, 타분, 소만이 온 도시를 강타했다.
모든 살아 있는 것은 죽어가기 시작했다.

거리는 시체와 그들이 남긴 분비물로 범벅이 되었다.

사흘째, 숲이 있는 모든 지역에 드론이 날아다니기 시작했다.
그들은 사흘 낮, 밤을 가리지 않고 움직이는 모든 것에 노란 액체를 뿜었다.
사람들은 피를 흘리며 쓰러지기 시작했다.

변종 에볼라 바이러스였다.
바이러스는 사람과 동물을 가리지 않고 공기를 통하여 쉽게 전염되었다.
감염된 대부분 인간이 사흘 안으로 죽었다.

엿새째, 지구는 이제 거대한 공동묘지가 되었다.
모든 죽은 것은 썩고 악취를 풍겼다.
잊혔던 전염병이 다시 창궐했다.

디프테리아, 성홍열, 장티푸스, 콜레라, 탄저병, 파라티푸스, 파상풍, 패혈증, 페스트가 만연하기 시작했다.
그리고 방사능과 독가스, 치명적 바이러스가 대륙 대부분을 덮었다.

오염물질은 바람을 타고 서서히 남쪽으로 내려가기 시작했다.
유일하게 남은 청정 대륙. 남극으로.

이레째, 지구는 누군가에 의해 완전 초토화되었다.
국가 대부분은 기능을 잃었다.
무정부 상태의 폭력과 약탈이 만연했다.

수많은 사람이 매일 살해하고 살해되었다.
지구 생물 대부분이 멸족하였다.
인간도 예외 없이 극소수만 살아남았다.

공포가 모두를 통제하고 혼란과 반목, 약탈과 은둔, 반성과 냉혈만이 남았다.

사람들은 이 <종말의 일주일>을 <아마겟돈>으로 부르기 시작했다.

<엑소더스>가 시작되었다. 바다로 나갔다.

사람들은 살육과 오염된 대륙을 벗어나기 위하여 무작정 배에 올라탔다.
그들은 누구도 목적지를 알지 못했다.
단지 오염이 덜 된 곳으로만 나갈 뿐이었다.
그리고 상당수는 굶주림과 탈수, 풍랑으로 바다에서 생을 마감했다.

살아남은 자들은 본능적으로 남으로 내려가기 시작했다.
그들 중 일부는 남태평양의 폴리네시아에 정착했다.
하지만 난민을 모두 수용하기에는 턱없이 땅이 부족했다.
그래서 사람들은 그들이 타고 온 배를 묶기 시작했다.
그리고 얕은 곳을 중심으로 주거 공간을 세우기 시작했다.
길도 만들었다.

소문은 빠르게 번졌다.
세상의 바다를 떠돌던 이들이 앞다투어 모여들기 시작했다.
흉측하지만 거대한 해상 도시가 건설되었다.
어느덧 사람들은 이곳을 물의 도시 <베네치아>라고 부르기 시작했다.

그는 비틀거리며 식당 입구 손잡이를 잡았다.

극도의 배고픔이 두려움을 이겨냈다.
흑인 한 명이 총구를 그에게 향한 채 천천히 다가왔다.

턱없이 부족한 음식. 세상은 이제 음식을 가진 자가 권력이 되었다.

소문이 맞는다면, 이 식당을 운영하는 이들은, 식료품이 가득한 컨테이너 배를 강탈한 해적들이다.

"볼 일이 있는 거야?" 녀석은 빈정거리는 미소를 지으며, 총구를 그의 얼굴 가까이 들이댔다.
아크릴에 반사된 빛이 아난다의 눈을 강하게 쑤셨다.

"네, 그러니까 아주 중요한 정보를…." 그는 후들거리는 다리에 힘을 꽉 주며 버티고 섰다.
살려면 먹어야 하고 먹으려면 대가를 치러야 한다.
아니면 그들이 좋아하는 것을 주어야 한다.
석유, 무기, 여자 혹은 그와 맞먹는 정보.

"정보라? 무슨 정보지?" 놈은 이제 총구를 그의 헬케크에 바싹 갖다 붙인 채, 당장이라도 방아쇠를 당길 요량으로 째려보고 있다.

"엄청난 양의 식품에 관한···."

순간, 녀석의 얼굴에 묘한 흥분이 스치는 것을 그는 놓치지 않고 감지했다.

확신이 들기 시작했다.

섬에 도착 후, 첫 식사를 할 수 있을지도 모른다는.

<계속>

거짓과 상상 혹은 죄와 벌

남킹 장편소설

남킹 컬렉션 #002

남킹 컬렉션 #003
시의 땅
남킹 장편소설

리셋 2

> 재앙이란 모두가 다 같이 겪는 것이지만 그것이 막상 우리 머리 위에 떨어지면 여간해서 믿기 어려운 것이 된다. - 카뮈, <페스트> 중에서

정문을 지나자 텅 빈 넓은 공터가 나타났다.

의외의 광경이었다.

야외 식탁에 빙 둘러앉아 숯불에 갓 구워낸 고기를 허겁지겁 뜯고 있는 인간의 모습을 상상했었다.

적어도 식탁이나 주방은 갖추어져 있을 것으로 생각했다.

아무것도 없다.

그냥 먼지 나는 공간일 뿐이다.

'도대체 식당 입구에서 맡았던 향긋한 바비큐 향기는 뭐란 말이냐?

가짜였나?'

순간, 낭패감을 동반한 절망이 솟구쳐올랐다.

그의 다리가 심하게 휘청거렸다.
뒤따르던 안내원이 부축하지 않았으면 틀림없이 그 자리에 풀썩 쓰러지고 말았을 것이다.
아난다는 그에게 의지한 채, 비정형으로 흩어져 있는 컨테이너형 안전 가옥 중 한 곳에 안내를 받아 들어갔다.
그리고 마스크를 벗은 뒤 어둠에 눈이 익숙해지기를 기다렸다.
맞은편 사람들의 윤곽이 서서히 드러났다.

그는 중간에 앉은 이를 알고 있다.
자세가 꼿꼿하고 엄격하다.
그리고 좌우에 흰머리가 한 움큼씩 덮여있다.
그가 이곳의 우두머리임이 틀림없다.

아난다는 직감적으로 확신했다.
그라면 충분히 지옥에서라도 살아남을 위인이었다.
<프라이스 다즈>.

일명 <검은 곱사등>.

기형으로 태어나 부모에게 버림받고 뉴욕 뒷골목을 전전하던 그는, 뉴욕 최대 마피아 중간 보스 따까리가 되어 온갖 궂은일을 도맡아 하였다.
살인까지도.

그는 영리하여 어떤 증거도 남기지 않은 채 깔끔하게 일을 처리하여 보스의 신뢰를 쌓았다.
그리고 보스의 죄를 대신하여 감옥행을 자처하는 대단한 충성심을 보였다.
교도소에서 글을 깨우친 그는, 도서관 책장 절반을 덮고 있는 법률 서적과 판례집을 몽땅 읽어 버렸다.
이때부터 그의 이름이 세상에 등장했다.

그는 동료의 법률적 자문을 아낌없이 제공하여 신뢰를 쌓았고, 자신의 이야기를 출판하여 명성을 구축하였으며, 언론을 이용하여 유명인으로 등극하였다.

7년 뒤, 모범수로 출소한 그는 이미 스타 변호사가 되어 있었다.

그는 대중의 마음을 사로잡았다.

"며칠을 굶은 거지?" 보기 드물게 하얀 이를 드러내며 그가 물었다.

냉담하면서도 부드러운 목소리였다.

"일주일 전 여기 온 이후로 쭉…." 그는 잠시 아난다를 훑어보더니 고개를 까닥거렸다.
그러자 그의 앞에 반쯤 탄 고기 한 덩어리, 나이프, 포크가 놓였다.

그는 입맛을 다시며 보스를 쳐다봤다.

"사람고기는 아니니까…." 말이 떨어지기 무섭게 아난다는 고기를 손으로 꽉 집어 입에 쑤셔 넣기 시작했다.
어디선가 킥킥거리는 웃음소리가 들려왔다.

접시를 비우는 데는 채 일 분도 걸리지 않았다.
순식간에 고기 한 덩어리가 목구멍으로 사라졌다.
간에 기별도 가지 않았다.
텅 빈 접시만큼 이 세상에 고통스러운 게 있을까?

그는 접시에 미련을 거두지 못한 채 프라이스를 애원하듯 쳐다봤다.

"정보가 있다고?" 그의 목소리는 전문 변호사답게 명료하고 깐깐하였다.
이제 먹은 밥값을 제공할 차례가 된 것이다.

아난다는 가슴 주머니에서 간이 <3D 프로젝터>를 꺼내 접시 위에 놓았다.
그리고 붉은 버튼을 누르고 공간 인증키에 두 손바닥을 살며시 댔다.
잠시 딸깍거리더니 녹색 광선이 접시에서 점점 부풀어 오르기 시작하며 형태를 갖추기 시작하였다.
이윽고 한 장의 사진이 공간에 띄워졌다.

황량하기 짝이 없는 돌무더기 중앙에 콘크리트로 된 길쭉한 조형물이 모습을 드러냈다.
마치 화성의 초기 개척 사진처럼 보였다.

아난다는 헛기침으로 목을 가다듬은 다음 조용히 설명을 시작했다.

"음, 보시는 사진은 북극의 노르웨이령 스발바르 제도 스피츠베르겐 섬에 있는 스발바르 국제 종자 저장고입니다.

일명 <북극의 노아의 방주> 혹은 <최후의 날 저장고>로 불리고 있습니다.
약 500만 개의 지구 종자가 저장되어 있다고 추산됩니다.
일반인에게 공개된 유일한 저장고입니다." 변호사는 그의 말뜻을 금방 알아차렸다.

"그렇다면 알려지지 않은 저장고가 있다는 말인가?" 아난다는 잠시 뜸을 들이며 신중하게 말을 이었다.
"곧 알려드리겠습니다. 다음을 보시죠.
엘리아! 다음 화면." 이번에는 유선형의 길고 아름다운 배가 공간에 띄워졌다.

대형 유조선의 축소 모형이었다.
"선박명 : <게으른 바다>.

2044년 4월 4일에 코리아 현대 중공업에서 극비리에 건조된 <세비어 7724 모델>.
백만 톤에 육박하는 재화중량톤. 동력은 원자력. 58년 주기의 핵연료 교체….”

“요점이 뭔가?” 변호사의 표정에서 분노가 느껴졌다.
그럴 수밖에.
당신이 잘 알고 있는 배니까.
당신이 탈취한 그 배니까.

“아 네, 엘리아! 다음 화면.” 프로젝터는 잠시 깜빡이더니 한 장의 문서를 공간에 띄웠다.
그곳에는 깨알 같은 글씨와 복잡한 지도가 뒤섞여 표시되어 있다.

줄과 선, 그림과 글이 혼재한 공간.
아난다는 그 공간의 한곳을 찍으며 말했다.

“엘리아! 확대. 좀 더 확대. 그리고 마크.” 이제 좌중의 어느 누가 봐도 선명한 두 개의 숫자가 굵은 글씨로 나타났다.

'-71.377282, -4.783315'

"뭔가?" 프라이스는 조급한 듯, 얼굴을 화면 가까이 다가가며 물었다.

"선박의 최종 목적지입니다.

경도와 위도죠. 엘리아. 다음 화면." 화면은 이제 하얀 대륙으로 변환되었다.

눈으로 덮인 남극 대륙. 세상에서 다섯 번째로 큰 땅.

남극점을 중심으로 화면은 천천히 돌아가고 있다.

그리고 대륙의 한 곳.

그곳이 붉은 점으로 깜빡거렸다.

"저곳은?" 변호사는 성마르게 아난다를 쳐다봤다.

"그렇죠. 선박의 최종 목적지는 남극 대륙의 한 절벽 해안입니다.

당신이 아르헨티나의 최남단 공해상에서 마주친 배는 우연히 그곳을 지나간 게 아닙니다."

"그걸 어떻게?" 냉혹한 전문가의 표정에 놀라움과 당혹함이 섞여

있다.

"배는 아르헨티나의 최남단 도시 <우슈아이아>에서 남극으로만 항해했습니다.

그동안 줄곧.

20년이 넘도록.

어마어마한 식품과 유용한 장비를 싣고 말이죠.

한마디로 남극의 노아의 방주죠." 드디어 변호사의 얼굴이 밝아지기 시작했다.

"정말인가? 이게 사실이란 말인가?"

"네, 적어도 제가 얻은 정보는 그렇습니다." 아난다는 흔들리는 몸을 곧추세우며 확신을 주어 말을 했다.

"확인이 필요한 것은 당연히 알겠지?" 프라이스의 목소리가 좁은 공간에 메아리쳤다.

"네. 제가 원하던 바입니다." 보스는 급히 부하를 주변으로 불러 모으더니 소곤거리기 시작했다.

이윽고 그의 명령이 떨어진 듯 그들은 부산하게 움직이기 시작했다.

그들은 문서에 표시된 좌표를 복사하더니 서둘러 나가 버렸다.

부하가 모두 사라지자 그는 벌떡 일어나 두 손을 아난다에게 펼쳤다.

"우리가 가진 비행 장비로 한 30분 정도면 그곳에 도착하여 확인 작업을 할 수 있을 걸세.

자, 마침 이런 날을 위해 준비해 둔 만찬이 있다네.

자네를 초대하고 싶네. 나를 따라오게.

식탁으로 안내하지."

프라이스는 앞선 듯 가더니 갑자기 멈칫거리며 발걸음을 멈췄다.

"아, 참. 자네 이름이 뭔가?"

"본명은 예지수입니다."

퍼즐의 끝에는 상상도 못한 연결고리가 있다!
NAM KING
COLLECTION
#004
심해
DEEP SEA
NAM
KING
남킹 SF 장편소설

리셋 3

메멘토 모리

> 어찌 내가 편히 쉬며, 어찌 내가 평화를 누리랴?
>
> 절망이 내 마음속에 있거늘!
>
> 내 형제가 지금 된 것을 보라. 나 또한 죽고 나면 이같이 될 것이다.
>
> 죽음이 두렵다!
>
> - <길가메시 서사시> 중에서

식당은 밝고 좁았다.

의자는 낡았지만, 식탁은 반짝거렸다.

원형 식탁 중앙에 눈부시게 밝은 리튬 강화·형광등이 사과 형상으로 빛을 발하였다.

아난다는 변호사의 맞은편 자리로 안내되었다.

보스를 중심으로 네 명의 남녀가 각각 자리를 잡았다.

약간의 어색한 침묵이 흐른 뒤, 음식이 나왔다.

그동안 잊혔던 음식이 눈앞에 펼쳐졌다.
도대체 <아마겟돈> 후, 채소와 과일을 본 기억이 없었다.

그런데 아난다의 눈앞에 야채샐러드와 노란 호박죽이 놓였다.
순간, 꿈을 꾸는 듯한 착각이 들었다.
흥분과 기대, 감탄과 조급함이 뒤섞인 묘한 환영 속에 갇힌 듯하였다.
그의 허기진 육체가 음식 향기에 심하게 반응하기 시작했다.

심장이 빨라지고 입속이 침으로 가득했다.
배고픔은 인간의 동물적 특성을 극대화한다.
고상한 문화적 취향이나 예술적 감흥은 이미 종말을 고하였다.

"자 우선, 들게나…."

아난다는 잽싸게 숟가락을 쥐고 호박죽이 담긴 그릇을 한 손으로 잡은 뒤, 빠르게 퍼먹기 시작했다.
놀라운 맛. 세상을 다 주어도 아깝지 않은 맛이다!

"통조림 제품이라 그다지 맛은 없을 거야."

프라이스의 말은 마치 빈정거리는 듯 그의 주위를 맴돌았다.

하지만 그게 뭐 대수냐?

지금 그는 세상 누구보다 행복하다.

한 그릇의 탄수화물이 너무 오래되어 기억조차 불분명한 탐식의 즐거움을 끄집어냈다.

오래전, 가족의 식탁을 당연하게 채우던 음식들.

어쩌면 너무도 당연해서 아무런 느낌도 감동도 느낄 수 없었던 그 사소한 것 한 가지가, 지금 그를 휘어잡고 기쁨 속으로 이끈 것이다.

아난다는 입에 담긴 죽을 음미 하며, 어느새 야채샐러드에 줄곧 눈을 두고 있는 자신을 발견했다.

그는 신기한 듯 손으로 샐러드를 만지작거리기 시작했다.

거의 원형에 가까운 육지의 채소를 본다는 것은, 작금의 상황에서 불가능에 가까운 일이었다.

남극은 물론 이러니와 그가 가까스로 탈출하였던 해상 도시 베네치아에서도 본 적이 없었다.

<**베네치아**>는 바다에 세워진 배의 도시답게, 거의 모든 음식이 생선, 조개류 그리고 해초류로 이루어졌다.
사실, 극단적으로 작은 크기의 땅에 서 있기조차 힘들 만큼의 무수한 피난민들이 몰려들었으니, 땅을 일구어 작물을 재배한다는 것은 꿈조차 꿀 수 없는 상황이었다.
모든 이들의 삶은 수렵과 채취였다.
물고기를 낚고 천혜의 산호초 바다를 마구 파헤쳐 단백질 덩이를 구했다.

물론 약탈도 성행했다.
선상에서 매일 크고 작은 전쟁이 벌어졌다.
인근 바다의 자원이 점점 고갈되면서 그 강도는 더해갔다.
그런데도 도시의 크기는 급속도로 커졌다.
아난다가 그곳에 도착하였을 때는 도시가 더는 감당할 수 없을 정도로 비대해져 버린 뒤였다.
베네치아는 아비규환이었다.
하긴, 이제 세상은 어디를 간들 모두 지옥이었다.

그가 탄 배는 태평양에서 40일을 표류하였다.
방향은 남쪽이었지만 목적지는 없었다.
그저 운 좋게 덜 오염된 땅을 만나기만 소원하였다.
그는 중국 상하이에서 <5월의 꽃(五月之花)>이라는, 다소 매력적인 이름의 배에 그가 할 수 있는 모든 수단과 방법을 동원하여 몰래 승선할 수 있었다.

도시에 도착하였을 때, 배에 탄 102명의 인원 중 절반만이 살았다.

하지만 베네치아는 약속의 땅이 아니었다.
생존자는 도착하자마자 삼삼오오 뿔뿔이 흩어져 각자의 방식으로 살기 위해 발버둥 쳐야만 했다.

아난다는 멸망이 시작된 후, 줄곧 혼자였다.
두려운 인간은 뭉치기 마련이다.
세력을 조금이라도 더 키워 생존 확률을 높이려고, 본능적으로 적과 아군으로 편을 가르고 선택을 하거나 강요받았다.

하지만 그는 죽음이 그다지 두렵지 않게 되었다.

그의 이십 대는 혼란과 광기 혹은 까닭 모를 슬픔과 절망을 경험하며, 소위 <이기적인 자아 상실>을 자행하였지만, 서른 즈음에는 욕심을 내려두고 내면의 두려움에 휘둘리지 않는 평온함을 애써 보듬을 수 있는 단계까지 발전하였다.

물론, 가족 - 부모와 여섯 동생 - 과의 헤어짐은, 무엇보다 큰 아픔과 상실이었다.
그는 가족을 생각하며 지독한 그리움과 외로움에 몸서리를 쳐야만 했다.
그리고 모두 살아 있기만을 간절히 기도하곤 하였다.
무엇보다 어머니가 궁금했다.

차가운 구치소 면회실에서의 마지막 대면 후, 그는 줄곧 그녀의 영롱한 눈길에 맺힌 따스한 사랑의 눈길을 갈구하였다.

내면의 선한 마음을 일깨워주던 그 아름다움 말이다.

"지수야, 내일은 그에게 화해의 손을 내밀도록 노력해주겠니?"

어머니는 그에게 따스한 빵조각이 든 접시를 내밀며 지긋한 눈길로 그를 쳐다봤다.
학창 시절, 아난다는 어린 동생이 당하는 불의를 결코 참지 못하였다.

그는 다소 과격하고 어느 정도 폭력적이었으며 좀 더 집요하였다.

어느 날, 동생의 지능 헬멧과 스마트 폰이 망가진 걸 목격했다.

하지만 동생은 두려운 듯, 그의 강요에도 불구하고, 범인을 절대 불지 않았다.

범인을 찾는 일은, 솔직히, 그에게 너무 쉬운 일이었다.
그는 15살이 되기 전부터 해커였다.
과정은 간단하였다.

또래의 다른 이들처럼, 온라인 3D 게임에 빠져 있던 어느 날, 그는 절대로 이기지 못하는 무적의 상대가 있다는 사실을 깨달았다.

처음에는 신기하고 나중에는 궁금하였다.
그는 집요하게 파헤치기 시작했다.
떠돌아다니는 간단한 해킹 정보부터 시작하여, 점점 고단위의 기술을 습득해나갔다.
그리고 한 달쯤 뒤, 게임 서버에 마침내 침투한 그는, 사실을 발견하고는 허탈감을 감추지 못하였다.
무적의 상대는, 당연하게도, 관리자 계정이었다.

물론, 그의 계정도 관리자 등급으로 몰래 올렸다.
며칠은 즐거웠다.

하지만 그의 속을 가득 채우던 게임의 즐거움이 급속도로 사라지는 것을 겪고는 혼란스러워지기 시작했다.
혼란은 당혹감으로 다가왔고, 뒤죽박죽인 상태로 며칠을 보낸 뒤, 마침내 그는 그가 진정으로 즐거워하는 것을 인정하지 않을 수 없게 되어버렸다.
그건, 시스템 침투. 해킹 그 자체였다.

아난다는 동생의 스마트 폰을 분석하였다.
채 5분도 되지 않아 범인이 나왔다.

녀석은 한 학기 내내 동생을 괴롭히고 있었다.

그는 우선, 녀석의 계정에 침투하여 그가 가지고 있는 모든 기기를 사용 불능으로 바꾸어 버렸다.
그리고 학교 시스템에 침투하여 녀석의 모든 성적을 낙제점으로 만들어버렸다.

그러고도 분이 풀리지 않은 아난다는, 녀석이 다니는 스포츠 클럽에 찾아가, 흠씬 두들겨 패고는 절대 내 동생을 건드리지 않겠다는 서약을 받아 내고 말았다.

나중에 집에 와서 발견한 사실이지만, 얼마나 세게 주먹을 휘둘렀던지, 오른손 새끼손가락이 부러져있었다.
하지만 감히 병원에 갈 엄두를 낼 수는 없었다.

그는 이 일로 한 달간의 정학 처분을 받았다.
당연하게도.

다행인 건, 폭행만 발각되었다는 것이다.
문제는 아버지였다.

아버지의 분노를 산 것이다.
아버지는 지역의 명망 있는 도의원이었다.
그리고 다음 선거가 며칠 남지 않은 상황이었다.
악재였다.

경쟁 후보자들의 공세가 나날이 거세졌다.
하루아침에 그는 지역의 망나니로 사람들의 입밖에 오르락내리락했다.
아버지의 엄명으로, 그는 한 달 동안 집안에 꼼짝없이 갇혀 지냈다.

마침내, 정학이 풀리고 선거도 끝났으며 - 아버지는 가까스로 재선에 성공했다. - 주변의 관심도 멀어졌을 때쯤, 그는 집 밖의 신선한 공기를 들이마시며, 묘한 해방감과 아울러 그가 가진, 남들과 뭔가 다른 재능에 벅차오르는 환희를 온몸으로 받아들이고 있었다.

집에서 보낸 한 달은, 그에게 무엇보다 소중한 경험이었다.

우선, 그는 아버지의 재선을 살짝 도왔다.
침투가 거의 불가능해 보였던 선거 시스템을 그는 3주 만에 풀었다.

그리고 약간의 필터링을 통하여 결과를 유리하게 바꾸었다.

물론 흔적을 전혀 남기지 않았다.
아니, 엄밀히 말하자면, 선거 판세가 거의 박빙이었기에, 누가 이겨도 그다지 의심이 들지 않는 상황이었다.

그의 해킹 지식은 한 달 전보다 비약적인 발전을 하였다.

그리고 마침내, 그는 세상에 거의 알려지지 않은, 하지만 세상에 그 누구보다도 강력한 힘을 지닌, 해킹 모임의 초청을 받은 것이다.

그들은 그가 열여섯이 되던 시점부터 줄곧 지켜보았고, 평가하였으며, 마침내 그를 팀의 일원으로 받아들인 것이다.

그들은 오프라인을 제외한, 실로 다양하기 그지없는 방법으로, 지식 공유의 즐거움을 함께하였다.

모임의 메시지 처음과 끝은, 항상 <Memento mori **(네가 죽는다는 것을 기억하라!)**>라는 제목으로 시작하였다.

그리고 아난다는 13번째 회원이었다.
그리고 그는 초청장 마지막 글귀에서, 그가 모임의 공식적인 마지막 회원이 됨을 짐작할 수 있었다.

'... 비로소 오랜 기다림 끝에 완전한 모임이 완성되었습니다.
형제 여러분.
그를 위대한 붓다의 제자 **아난다**로 명명합니다. <Memento mori>.'

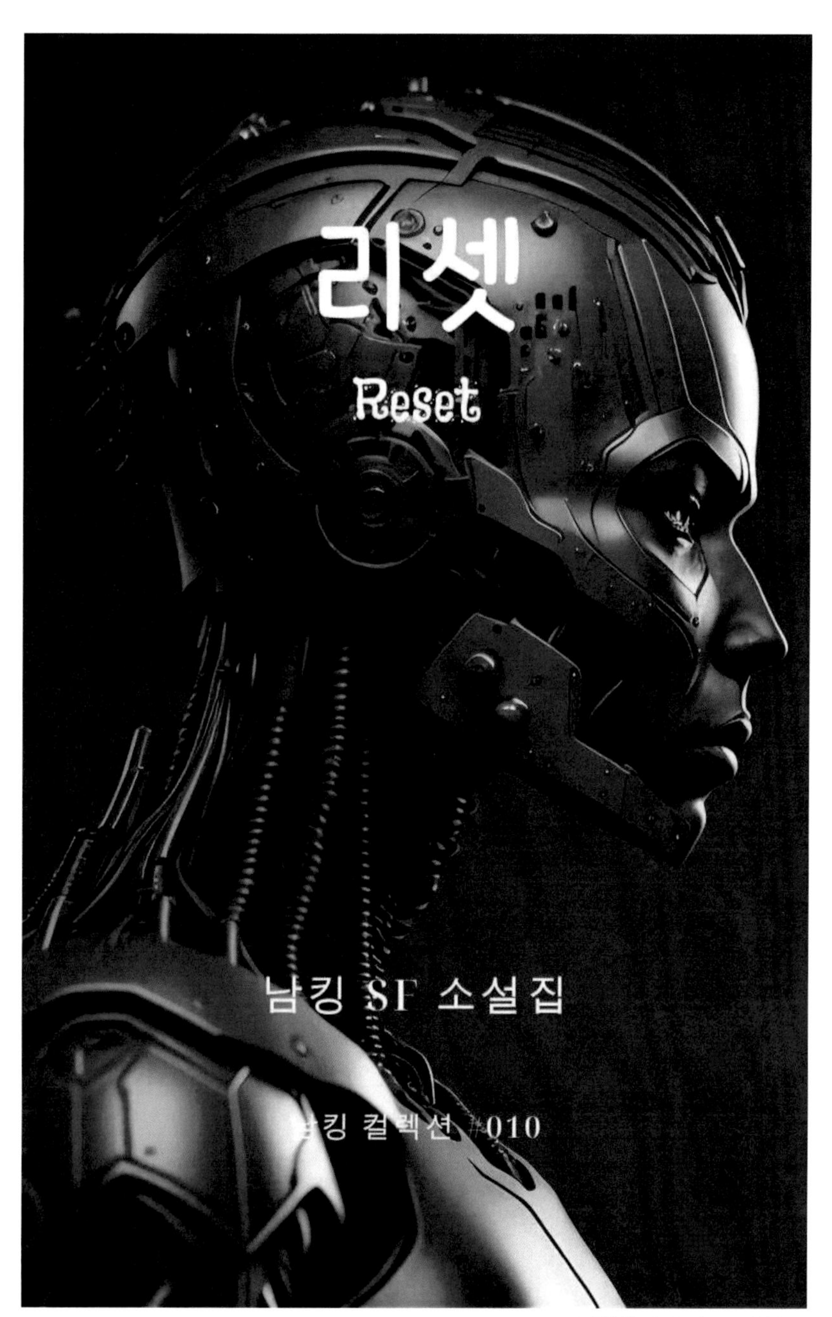
리셋
Reset
남킹 SF 소설집
남킹 컬렉션 #010

남킹 컬렉션 #011

1월의 비

남킹 감성 소설집

리셋 4

데쓰윔

> 한 명의 죽음은 비극이요, 백만 명의 죽음은 통계이다. -스탈린

"적당히 들게나. 메인 요리가 아직 있으니…."

프라이스는 느긋한 표정으로, 옅은 미소를 담은 채, 아난다를 바라봤다.

그의 말은 일종의 신호처럼 들렸다.
부산하던 식탁 위의 손동작들이 일제히 멈췄다.
아난다는 샐러드에 포크를 찌른 채, 보스의 표정을 살피며, 입속에 담긴 음식을 천천히 목구멍으로 넘겼다.
그의 죽 그릇은 이미 깔끔하게 비워진 상태였다.
변호사의 두툼한 입술이 살짝 벌어지기 시작했다.
아난다는 직감적으로 느꼈다.

만찬을 끝내기 위해 좀 더 구체적이고 신뢰할 수 있는 추가 정보를 이제 내놓아야 할 때인 것을.

"그래, 말해보게. 자네도 느낄 수 있을 테지만, 놀라운 소식은 무척 많은 궁금증을 유발하는 법이지.
그리고 궁금한 것을 담아 두기란 여간 힘들지 않은 법이고.
만찬은 길지만, 나의 조급함은 이제 한계에 이르렀네.
우선, 어떻게 이런 정보를 입수했나?"

방안의 시선이 일제히 예지수에게로 모였다.
긴장이 다시 몰려왔다.
모든 게 얼어붙은 듯 차가운 정적이 일 순 이어졌다.

그런데도 모처럼 만에 유기물을 받아들인 그의 육체는, 영양분을 짜내기 위해 부산을 떤다.
그는 정신을 잡아당기며 평온을 유지하기 위하여 길게 숨을 들이마셨다.

"아마겟돈 이전에 저는 중국 공안 당국에 체포되어 알 수 없는 곳에 억류되어 있었습니다."

"죄목이 뭔가?" 보스는 의자를 살짝 끌어당겨 자세를 고치며 아난다에게 물었다.

그의 얼굴에서, 법정에 선 변호인의 자긍심이 언뜻 느껴졌다.

"죄목은 없습니다. 단지 제가 소속된 모임이…."

"무슨 모임인가?" 그의 모습에 익숙함이 묻어났다.

무척 낯익은 그 모습.

<프라이스 다즈의 법정>.

소셜 네트워크 영상의 최고 인기 프로그램. 구독 뷰어 10억.

그는 구부정한 모습으로 그의 명성을 더해 줄 사건을 선별하고, 법정과 사건 현장 구석구석을 누비며, 명석한 두뇌와 감탄을 자아내게 만드는 영특한 추리로, 사건을 해결하고 누명을 풀어주고 선한 이를 돕고 악한 이를 벌주곤 하였다.

특히, 7회 영상은 그를 당대 최고의 변호인으로 만들어버렸다.
집행을 불과 닷새 남겨둔 사형수의 무죄를 입증한 것이다.
13년의 억울한 옥살이 끝에 말이다.

그는 15년 전 발생한 2건의 강간 살인 사건의 현장을 기록과 진술에 따라 재구성하며, 당시 수사관들이 놓쳤거나 의도적으로 숨겼던 증거들을 찾아내어, 좀 더 진보한 과학 기술에 접목하였다.

특히, 그는 피의자, 피해자 혹은 증인들의 인터뷰를 능숙하게 진행하였으며, 그가 질문을 던질 때쯤이면, 언제나 카메라 앵글을 그의 눈에 집중하게 하였다.
반짝이는 눈.
마치 진실을 이미 모두 알고 있으니, 인제 그만 사실대로 실토하라는 듯한 눈빛.
그 강렬함에 시청자들은 노예처럼 매료되었다.

그 눈빛을 지금 예지수는 보고 있다.

영상이 아닌 현실에서.

“사피엔티아(지혜).” 그러자 프라이스는 잽싸게 그의 말을 반복했다.

“사피엔티아? 그럼 그 <사피엔티아>란 말인가? 네가?” 그의 눈빛이 강렬하게 빛났다.

어수룩한 모습 속에 감추어진 명석한 두뇌가 강렬하게 움직이는 듯, 그의 눈동자가 바쁘게 움직이기 시작했다.

“네.” 아난다는 천천히 그를 주시하며 고개를 끄덕였다.

“몇 번째인가? 무슨 말인지 알겠지?” 그의 눈빛은 이제 심각함으로 물들었다.

“마지막입니다.”

“그럼. 13의 형제인가?”

“... 네.”

“그럼, 자네가 아난다?”

“네.”

“중국에는 왜 갔는가?” 그는 이제, 마치 심문하는 형사가 되었다. 진실을 꼭 찾겠다는 결연한 의지로 뭉친.

“끌려갔습니다. 제주도에서.”

"그럼 제주도에서 납치되었단 말인가? 무엇을 해킹했길래?"

"고비사막에 있는…." 다시 그는 예지수의 말을 가로챘다.

"데쓰윔?" 그의 목소리가 커졌다.

"네, 데쓰윔."

"그 데쓰윔 말인가?"

"네." 아난다의 대답이 끝나기 무섭게 보스는 의자를 밀어내고 식탁을 젖히며 그의 옆에 자리했다. 그의 눈은 이제 열정으로 이글거렸다.

"말해보게. 그곳에서 캐낸 정보가 이것만은 아니겠지?"

"네, 극히 일부분입니다. 아주 길고 큰 프로젝트의…."

"우리의 만찬이 무척 길어지겠군." 그는 입구에 대기 중인 부하를 불렀다.

"메인을 가져오게. 아주 근사하게 말이야. 아끼지 말고. 귀빈이 오셨네."

남킹 컬렉션 #012
남킹의 문장 1
언어의 마법사 남킹의 문장들

남킹 컬렉션 #013
남킹의 문장 2
언어의 마법사 남킹의 문장들

리셋 5

8의 형제 라후라

> 정말 잘 들어두어라.
>
> 밀알 하나가 땅에 떨어져 죽지 않으면 한 알 그대로 남아 있고 죽으면 많은 열매를 맺는다.
>
> 누구든지 자기 목숨을 아끼는 사람은 잃을 것이며 이 세상에서 자기 목숨을 미워하는 사람은 목숨을 보전하며 영원히 살게 될 것이다. - 예수 (요한복음서 12:24-25)

정보는 시대를 막론하고 가장 가치 있는 거였다.
유목민에게 가장 소중한 것은 오아시스의 위치 정보였다.
예전이나 지금이나 최고의 천으로 여겨지는 비단이 한낱 미물의 벌레에서 만들어진다는 사실은, 중국이 세상에 감추어야 할 최고의 정보였다.

그의 말이 떨어지기 무섭게 다양한 형상의 음식이 식탁을 채웠다.

<풍요의 시대> 때, 요리 앱에서나 봄 직한 화려한 색상의 음식들.

이런 것을 <종말의 시대> 때 마주하리라고는 꿈도 꿀 수 없었다.

아난다는 눈이 휘둥그러진 채 그들을 쳐다봤다.

"혹시나 해서 하는 말인데, 우리가 여기서 항상 이렇게 먹을 거라는 착오는 하지 말기 바라네.
평소에는 통조림 반 통이 고작이라네.
그것조차 일 년 이내에는 다 소진되겠지만 말이야." 변호사는 예지수의 어깨를 톡톡 치며 눈짓으로 음식 들기를 권유하였다.

아난다는 순간적으로 무엇부터 맛보아야 할지 모를 정도의 행복한 고민에 빠졌다.

"들면서 그냥 듣게나." 보스는 포크로 고기 조각 하나를 집어, 입에 넣고는 우물거리며 말을 이었다.

"내가 비정한 깡패 집단에서 살아남을 수 있었던 것은, 일찍부터 정보의 중요성을 깨우쳤기 때문이었지.
누가 나의 적이고 동지이며, 누가 유익하고 해로운가를 아는 것부터 시작해서, 누구의 세력이 더 크고 위험하며, 어느 집단이 더 유익하고 오래 갈 것인지를 파악하기 위하여 나는 무척 많은 시간과 인맥을 투자하였다네."

아난다는 우선 가까이에 차려진 음식부터 조금씩 맛보기 시작했다.

그는 이제 서둘지 않게 되었다.
천천히 보고 음미하고 느끼며 감탄하게 되었다.
어느새 그는 불어나는 몸무게를 고민하던 가벼운 시절로 떠난 것이다.

"그렇게 시작한 정보의 탐닉은, 내가 세상에 무척 알려진 인물로 등장하면서부터 그 영역이 한없이 넓어졌다네.
나는 내게 유익하다고 생각하는 정보뿐만 아니라, 단지 호기심만으로도 비싼 대가를 내는 데 주저하지 않았다네.
그중에는 허황한 것도 많았지.

9.11 테러 음모나 가짜 달 착륙부터 51구역 UFO, 셰익스피어 미스터리, 파충류의 세계 지배설까지, 혹은 심지어 흑인을 통제하기 위하여 에이즈가 만들어졌다는 설까지 온갖 종류의 음모설을 정보의 범

주에 예외 없이 포함하곤 하였지.

모르겠어. 내가 왜 그렇게 하였는지는.
나의 직업은 지극히 이성적이고 합리적인 판단만을 가치로 받아들이게끔 숙련시킨단 말이지…."
그는 잠시 말을 멈추더니 자신의 포도주잔을 가져와 단숨에 마셔버렸다.

순간적이지만 그의 입이 피로 물든 것처럼 보였다.
그는 자신의 잔에 와인을 다시 채우고 예지수를 돌아보며 말을 이어갔다.

"아무튼, 나는 닥치는 대로 정보를 끌어모았지.
물론 그중에, 전혀 상식적이지 않거나 뜬구름 잡는 듯한 허황한 이야기는 분류하여 저장한 채, 그냥 흘려버렸겠지.
고비사막의 데쓰웜도 그중의 하나지.
그냥 전설이잖아. 그렇지?"
아난다는 우물거리며 고개를 끄덕거려 그에게 동조를 표시했다.

"그래. 그랬지.

중국과 러시아 정부가 공동으로 비밀리에 데쓰윔을 조사하다 탄로 났다는 우스갯소리가 들렸을 때도 그냥 웃고 넘겼지. 말도 안 되는 이야기니까 말이야." 그는 한쪽 손을 아난다의 어깨에 지긋이 대고는 그를 바라봤다.

그의 답변을 기다린다는 듯.

아난다는 천천히 입안의 음식을 모두 삼킨 뒤, 와인을 비우고 보스에게 눈길을 돌렸다.

"데쓰윔은 대량파괴 무기의 저장소였습니다. 적어도 저희가 파악한 바로는…." 그는 흔들리는 프라이스의 눈동자를 바라보며 힘없이 내뱉었다.

"그리고 적어도…." 아난다가 다시 말을 꺼내자마자, 다시 그의 조급함이 묻어났다.

"그래, 적어도 뭔가?"

"적어도 16개의 데쓰윔이 더 있었습니다. 각 대륙의 오지에…."

"그럼 뭔가? 자네가 보기에는 각 국가가 단합해서 세상을 파괴하기로 작당을 했다는 건가?" 보스의 음성이 올라갔다.

떨림도 느껴졌다.

믿기지 않는 현실.

아니, 도저히 믿을 수 없는 상황이다.

자국민을 보호하기 위하여 뽑은 정부가 자국민을 몰살하였다?
그것도 한 정부가 아닌 여러 정부가 단합해서?
그래, 적어도 우리의 상식에서는 있을 수 없는 이야기이다.

"인간일 수도, 아닐 수도 있습니다."
"인간이 아닐 수도 있다? 그 뜻은?" 프라이스는 이제 고기 씹기를 잊고 아난다에게 몰입한 듯 보였다.
"인간을 창조주로…"
"AI?"
"저희가 밝혀야 할 숙제입니다. 그리고…."

"그리고?"
"그들은 이미 저희를 파악하고 있습니다.
아마겟돈이 시작되기 며칠 전, 전 세계에 흩어져 있던 저희 형제 모두가 구속되었습니다. 거의 동시에 말이죠."
"13명 모두?"
"네 13명."

"자네는 구성원 모두를 본 적이 있는가? 아니 알고 있는가?"
"아뇨. 아무도 본 적이 없습니다.
그리고 오직 한 사람만 알고 있습니다. 제게 연락을 하는 이는 오직 한 사람이죠." 변호사의 얼굴에 미소가 번졌다.

비로소 뭔가를 조금 이해하는 듯한 몸짓.

"어느 날, 나의 핸드폰에 이상한 메시지가 뜨더군.
알다시피 우리는 광고의 홍수 속에 살잖아.
하루에도 수십 통의 원하지 않는 메시지를 받곤 하지. 아니지…."
그는 이 대목에서 씁쓸한 듯, 그의 좁은 미간에 주름을 세우며 슬픈 표정으로 아난다를 쳐다봤다.

"광고의 홍수 속에 살았었지. 그게 불과 일 년 전인데…." 그래.

불과 1년 만에 세상이 바뀌었다.
남극을 제외한 모든 지역은 오염되고 파괴되었다.
그 남극 또한 머지않아 오염될 것이다.
설령 오염의 강도가 작더라도 이곳은 세상에서 가장 추운 곳이다.

여름이 오기 전, 거주자 대부분이 추위와 굶주림으로 생을 마감할 것이다.

"메시지는 싱겁기 짝이 없는 거였어.

어마어마하게 큰 유령선이 남극 바다를 떠돌고 있다는 것과 그 속에는 온갖 종류의 통조림이 가득하다는 것이지.

웃기지 않는가! 유령선과 통조림이라니.

전혀 어울리지 않잖아!

미스터리 축에도 들지 않는 황당한 거였지.

그래서 그냥 지워버렸지.

그런데 잊을 만하면 한 번씩 오더군.

수신 거부도 소용없더군.

내가 수단과 방법을 총동원하여 거부하였지만, 언제나 그 메시지는 내 핸드폰에 자리하고 있는 거야.

호기심이 들더군.

나는 전문가를 불러 수신자를 추적했지.

그리고 내가 알아낸 정보는 단 한 개였어."

그는 말을 멈춘 채 아난다의 눈을 '뚫어져라.' 쳐다보기 시작했다.

예지수는 그의 진지한 속삭임을 받아들였다.
하지만 그의 손과 입, 뇌는 끊임없는 탐식의 판타지에서 허우적대고만 있었다.

"8의 형제. 라후라." 아난다가 속으로 이름을 외치는 순간, 프라이스의 입에서 튀어나왔다.

"결과적으로는 <8의 형제>가 나를 살렸지.
굶주림에서 말이야.
그리고 극소수의 운 좋게 살아남은 피난민들 속에 가장 큰 세력 집단의 우두머리가 되도록 만들었지.
지금, 이 순간 지구상에서 나보다 더 많은 음식을 소유한 이는 없으니까 말이야."
아난다는 코펠 잔에 담긴 와인을 홀짝거렸다.

시큼한 향기 속에 담긴 알코올이 지친 식도를 타고 뜨겁게 내려갔다.
그는 잠시 멈칫거리더니 다시 고기 조각 하나를 집어 입에 넣었다.

무슨 고기인지는 물어보기 전에는 알 길이 없다.

사실, 알고 싶지도 않았다.

"네. 라후라가 제게 유일한 연락책입니다." 그는 와인을 비우고 빈 잔을 식탁에 살며시 내려놓았다.

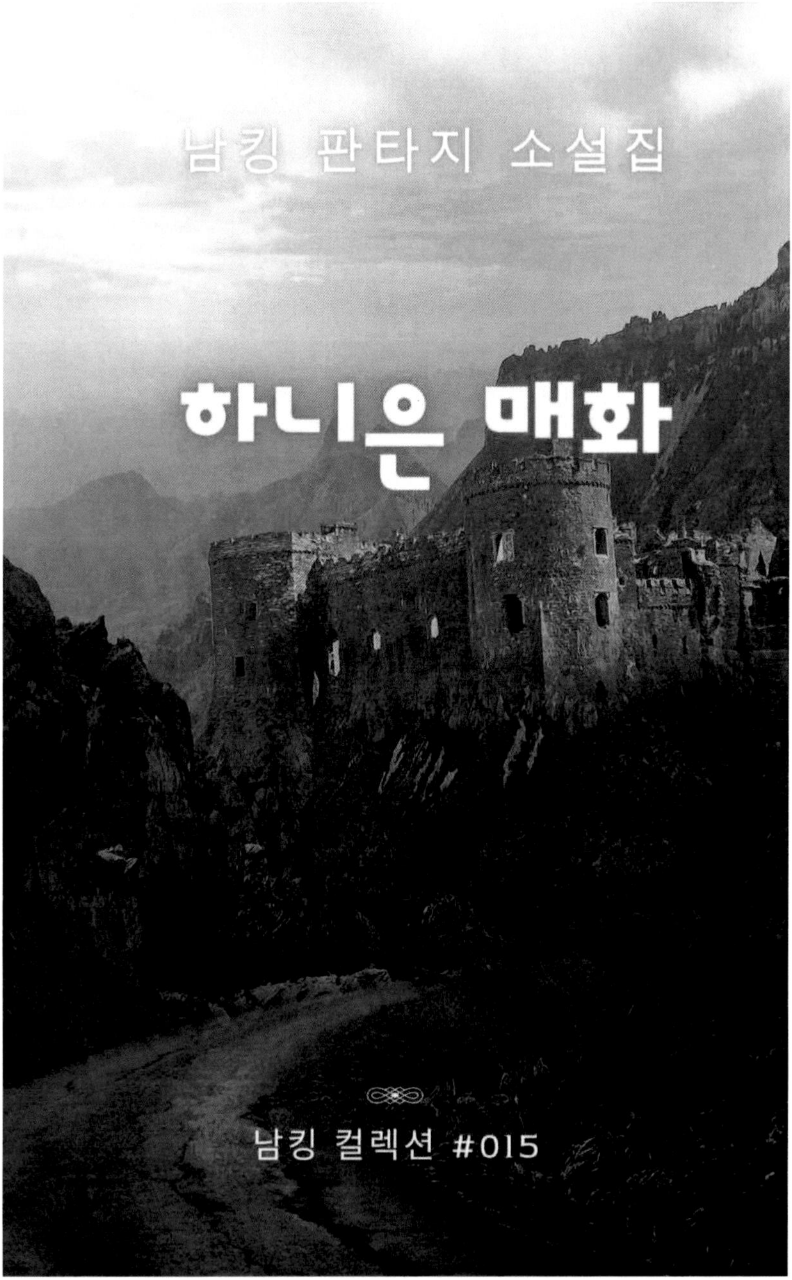
남킹 판타지 소설집
하니은 매화
남킹 컬렉션 #015

남킹 컬렉션 #017
스네이크 아일랜드
1권
죽고싶지만 복수는 하고 싶어
남킹 판타지 스릴러

리셋 6

메시지

> 무채색의 공간. 더러운 하늘이 낮게 드리웠다. 저 멀리, 시선의 끝에 폭풍의 형상이 도사린다. 에리스는 길게 한숨을 쉰다. 지금은 그 무엇이든 삶을 어렵게 한다. 대기, 바람, 구름, 정적, 외로움, 바싹 마른 이파리. 모든 것은 죽음과 연관되어 있다.

> 사물과 형상, 기억은 아픔과 슬픔으로 만 맺어진다. 종말의 시대는 그런 것이다. 우리가 원래 만들어진 대로 파괴로 이어진다.

시야는 가려지고 두 손은 묶였지만, 끝없이 내려간다는 것만은 알 수 있었다. 어느 날 아난다를 급습한 이들은 다소 거칠지만, 배려가 느껴질 정도의 강압을 행사했다. 꽤 지루한 시간 후, 엘리베이터는 쿵 하며 멈췄다.

그는 그의 모든 감각을 동원하여 최대한 바깥세상을 이해하려고 노력했다. 서늘한 기운. 웅 하는 기계음. 알 수 없는 중국어. 규칙적인 발소리. 가끔 들려오는, 덜컥거리는 마찰음. 마침내 그는 어떤 장소에서, 결박과 안대가 풀렸다.

그의 맞은편에는 두 명의 아시아인이 앉아 있었다. 방은 좁고 형광등은 눈부셨다. 깔끔한 제복을 한 이가 중국어로 뭐라고 떠들기 시작했다. 그러자 옆에 앉은, 머리가 벗어진 이가 한국어로 통역을 하였다.

"우리는 당신에 대한 어떤 정보도 갖고 있지 않습니다. 단지 여기에 당분간 가두어 두라는 상부의 명령을 받은 것뿐입니다. 그러니 불편하겠지만, 우리의 지시대로 행동하기를 바랍니다. 만약 당신이 우리의 지시대로 하지 않는다면 무척 불행한 결과가 생길 수도 있다는 사실을 주지하시기 바랍니다. 이상입니다." 그들은 말을 끝내자마자 서둘러 나가 버렸다.

텅 빈 곳. 책상과 의자 그리고 냉장고가 보였다. 사방은 모두 흰색이었다. 창문은 없고 문이 두 개 있었다. 한쪽 문은 잠겨있고 다른 쪽은 이곳보다 절반 크기의 방으로 연결되어 있었다. 그곳에는 간이침대와 침구류, 변기와 TV만 있었다. 어디선가 약하게 환풍기 소리가 들려왔다.

그것뿐이었다.

냉장고에는 다양한 음식이 채워져 있었다. 하지만 대부분 햄버거류와 같은 인스턴스 음식이었다. 그가 할 수 있는 유일한 일은 TV 시청뿐이었다. 하지만 불행하게도 대부분이 거의 알아들을 수 없는 중국어 방송이었다.

그나마 한류 드라마가 방영되었지만, 드라마를 혐오하는 터라 그다지 도움이 되지 못하였다. 그래서 채널을 CNN으로만 줄곧 고정해버렸다. 시간을 알 수가 없었다. 뉴스 진행자가 내뱉는 첫마디로 시간의 흐름을 짐작할 뿐이었다.

"굿모닝", "굿이브닝"

아난다를 방문하는 이는 딱 한 사람이었다. 냉장고의 음식이 바닥을 드러낼 때쯤이면, 신기하게 그는 나타났다. 그리고 서둘러 음식을 채우고는 나가버렸다. 아난다는 그에게 중국어뿐만 아니라 여러 가지 언어로 인사를 해 보았지만, 그는 들은 척도 하지 않았다.

예지수의 짐작으로, 30일 정도가 흐른 뒤, 그는 TV로 세상이 망해가는 영상을 접하고 있었다. 앵커와 기자들의 목소리는 점점 암울하고 거칠어져 갔다. 하늘은 점점 검어졌고 도시는 형태를 알아볼 수 없을 정도로 무너졌다. 거리는 시체로 채워졌고, 차는 불탄 채 뒹굴고 있었다.

어린이는 절규하고 어른은 망연자실한 채 비틀거렸다. 그리고 엿새쯤 지난 뒤, TV가 먹통이 되어버렸다. 아무리 채널을 돌려도 빈 화면뿐이었다. 세상과의 유일한 소통이 끊어진 것이다.

그는 답답해 미칠 지경이었지만 어쩔 도리가 없었다. 그의 유일한 방문자를 기다릴 수밖에는. 하지만 돌아온 것은 암흑뿐이었다. 알 수 없는, 무척이나 지루하고 고통스러운 시간이 흐른 뒤, 그는 방의 모든 전기가 나갔다는 것을 어느 날 깨달았다.

냉장고는 텅 비었고, 공간은 빛 한 톨 들어오지 않는 어둠이었다. 공포가 단숨에 그를 덮쳤다. 그는 후들거리는 발과 떨리는 손으로 벽을 짚어가며 이제, 필사적으로 이곳을 탈출하려고 발버둥 쳤다.

그리고 그제야 그는 발견했다. 잠겨있던 그 문이 열려있다는 것을. 바보같이, 첫날, 아난다는 그 문이 잠겨있는 것을 확인한 후, 더는 확인을 하지 않은 거였다. 그는 흥분한 채, 방을 빠져나와 필사적으로 도움을 외치며 미로 같은 공간을 헤매기 시작했다.

하지만 철저하게 혼자였다. 그리고 알 수 없는 깊이의 지하였다. 희미하게 비추는 비상등 속으로 그는 추위와 굶주림 속에, 무척 많은 시간을 헤맨 끝에, 겨우 지상으로 올라올 수 있었다.

밖은 땅거미가 내리기 시작한 늦은 오후였고 숲이었으며, 비가 오락가락 내리고 있었다. 입으로 굴러 들어오는 달콤한 빗물을 흡입하며, 흐린 시야에 들어오는 도시의 불빛으로 힘들게 발을 내디뎠다. 예지수는 이곳이 어디인지 도저히 짐작할 수 없었다.

중국의 어느 한 지역인 것만은 확실하였다. 한자로 된 팻말이 눈에 띄었다. 그는 이제 어디로 어떻게 무엇을 해야 할지 감을 잡을 수가 없었다.

한참을 걸어 아스팔트 길로 나왔다. 길은 넓었지만, 여전히 혼자였다. 인적이 사라진 곳. 부서진 차들이 눈에 들어왔다. 반듯이 포장된 세상 속에, 용도를 알 수 없는 흉물스러운 것들이 여기저기 방치되어 있었다. 불에 탄 흔적도 곳곳에 눈에 띄었다.

외로움과 혼란스러움 그리고 배고픔이 마구 뒤섞여 내딛는 걸음을 무겁게 눌렀다. 사람이 그리웠다. 누구던, 아무나 그냥 마주치기를 바랐다. 하지만 시커멓게 반쯤 그을린 집터를 찾기까지, 그는 사람의 흔적을 전혀 볼 수 없었다.

사람들은 한 곳에 모여있었다. 대문을 힘겹게 열어젖힌 곳. 각자의 표정과 몸짓으로, 그들은 뒤엉켜있었다. 아난다는 조심스레 발걸음을 떼며, 그들 하나하나를 살펴봤다. 정적과 침묵이 갇힌 곳. 고약하고 역겨운 냄새가 방안을 가득 채웠다. 다르지만 공통적인 것.

그들 얼굴이 어떤 형태를 띄웠든지 간에, 하나 같이 공포를 가리키고 있었다. 마치 <고야>의 그림, <아들을 먹어 치우는 사투르누스>의 표정이었다. 그는 그때 깨달았다. 지금 그는 지옥의 변방에 서 있다는 사실을.

아난다는 절망과 공포 속에 집을 뛰쳐나왔다. 언제부터인가, 어느새 늘 그를 채우던 기우가 그의 앞에 현실로 나타났다. 창조와 파괴. 인간은 알면 알수록, 경이로움과 기괴함의 양면을 지닌 묘한 존재였다. IT의 놀라운 발전은, 그에게, 정복해야 할 높은 벽의 시스템을 제공했지만 동시에 벽의 뒷면에 감추어진 추악한 진실도 선사했다.

모임의 목표는, 파고들수록 점점 한 곳으로 모여들고 있었다. 그건 세상에 드러난 수많은 테러 집단 혹은 테러 지원국이 아니었다. 그들은 어찌 보면 조각의 작은 한 면이었다. 그들은 국지적이고 피상적이며 순진하기까지 하였다.

모든 악의 몸통.

그 뿌리는, 당신이 매일 접하는 해맑게 웃음 짓는 이웃 중 한 명일 수도 있었다. 혹은 당신의 손으로 뽑은, 당신을 대표해 수고로움을 마다하지 않는, 친절하고 상냥한 의원일 수도 있었다. 점점 더 중심으로 다가갈수록, 그는 느꼈다.

점점 더 그들을 팔수록, 점점 더 노출되었고, 점점 더 우리는, 우리가 획득한 지식에 의하여, 놀라움과 불안 속에 고통을 겪어야만 했다. 그즈음, <8의 형제>에게서 오는 메시지는, 당연하게도 다급하고 내용도 무척 무거웠다.

아난다는 도시로 점점 발걸음을 재촉했다. 배고픔보다 더한 공포가 그의 지친 몸을 휘어잡았다. 그는 뛰기 시작했다. 비가 다시 내렸다.

흐린 시야 속으로 도시가 점점 다가왔다. 점점 더 많은 인간이 눈에 띄었다. 파괴된 차와 찢어진 건물 더미. 그 사이에 시체들이 널브러져 있었다. 지금껏 살아 있는 자는 그뿐이었다. 그는 마침내 건물 더미에 털썩 주저앉았다. 겨울비는 더욱 세졌다. 추위가 몸 전체를 흔들어 젖히기 시작했다.

그는 라후라가, 통신이 끊기기 전, 다급하게 보낸 <메시지>를 기억하고 있었다. 그리고 어렴풋이 삶의 여정을 추론하기 시작했다. 어쩌면 그 속에 길을 찾을 수 있을 것 같았다. 그것이 무엇이든, 지금 그의 앞에 펼쳐진 세상의 모습 속에 그가 해야 할 유일한 길임을.

'<Memento mori>. 아난다. 나의 형제여. 예상대로 세상은 이제 우리를 가두기 시작했소. 불행한 시대지만 애정은 언제나 간직하길 바라오. 내 삶은 애초에 당신을 위해서 존재하는 것. 부디, 살아 있기를 바라오. 대양 한가운데, 배들의 무덤으로 가시오. 누군가 인도할 것이오. 명심하시오. 우리가 얻은 게 어쩌면 마지막 구원일 수도 있음을. <Memento mori>.'

남킹 컬렉션 #018
천일의 여황제
세빈의 남자
남킹 판타지 소설

남킹 컬렉션 #019
이방인
남킹 장편소설

리셋 7

> 40억 년의 지구 역사에서 5번의 대멸종이 있었다. 6500만 년 전, 5번째 대멸종, K-Pg 멸종에서 공룡이 모조리 사라졌다. 지구에 운석이 충돌하면서 모든 게 변했다. 생태계는 완전히 리셋되었다.
>
> 저명한 생태학자 폴 에를리히 미국 스탠퍼드대 명예교수는 2015년 "인류에 의해 제6의 대멸종 사태가 진행되고 있다"라고 경고했다.

아난다 앞의 음식이 어느새 눈에 띄게 줄어들었다. 처음, 눈으로 마주한 음식은 무척 많은 양이었다. 마르고 작기까지 한 그가 아무리 열심히 내 몸에 채워 넣어도 십 분지 일도 못 넣을 것 같았다. 하지만 그의 몸은 알고 있었다. 앞으로 무척 많은 날 동안 굶주릴 수 있다는 것을. 집요하게 배고픔의 신호를 보내왔다.

그는 이제 취기도 느꼈다. 비록 와인 몇 잔이었지만, 영양 결핍으로 부실해진 육체는 약간의 알코올에도 민감하게 반응했다. 그는 이제 포만감과 배고픔, 알딸딸함과 긴장감을 동시에 품게 되었다.

"똑똑." 노크 소리와 함께 건장한 청년 한 명이 불쑥 들어왔다. 그는 보스의 귀에 낮은 소리로 속삭이며 아난다를 유심히 쳐다봤다. 눈빛이 섬뜩하게 위압적이었다. 변호사의 얼굴이 어두워졌다. 그는 알았다는 듯 고개를 끄덕였다. 그러자 청년은 빠른 발걸음으로 나가 버렸다. '쿵'하고 닫힌 문소리와 함께 정적이 찾아왔다. 그는 한동안 문을 바라보더니 내게 서서히 고개를 돌렸다. 우수가 느껴졌다.

"잘 알다시피, 식품을 가득 담은 배가 우리 해안에 있다는 사실을 모르는 이가 어디 있겠소? 게다가 피난민 대부분은 굶주리고 있고…."

"그렇다면?" 아난다의 질문에 프라이스는 씁쓸한 미소를 보였다.

"그렇소. 지키는 게 점점 어려워지고 있소. 턱없이 부족한 식량. 세상의 생존자들은 모두 이곳으로 몰리고 있으니, 그들 모두의 목표는 오직 하나. 우리란 말이오. 매일 총질이지. 당연하게도. 지키는 자와 뺏으려는 자." 그는 와인을 거칠게 그의 잔에 따르더니 쭉 들이켰다.

"조금 전에 부하 2명이 사망했소. 이번 주에만 4명이 죽었소." 보스의 빈 잔은 급하게 다시 채워졌다.

"패러독스. 이건 분명한 패러독스요. 우리가 가진 음식을 지키기 위해 더 많은 사람이 필요하오. 하지만 동시에 그들이 남은 식품을 급속히 소진하고 있소."

"그렇다면?" 아난다는 이제 또렷하게 그의 눈을 주시했다. 변호사가 그의 질문을 알아들을 수 있을 정도로 충분히 현명하리라는 것을 그는 알고 있다.

"그렇소. 나는 시간이 촉박하다는 것을 감지하고 만찬을 준비했소. 8의 형제, 라후라를 위해서 말이오. 무슨 연유인지는 모르겠지만. 아무튼, 한 번은 그가 나를 찾을 것으로 믿었소. 어쩌면 나를 다시 살려주리라 기대하면서 말이오. 그가 어디 있는지 아시오?" 아난다는 씹는 행위를 멈추었다. 포크와 수저도 고스란히 식탁에 곱게 놓았다.

"그는…." 갑자기 아난다의 목이 메었다. 토할 것처럼 속이 메슥거

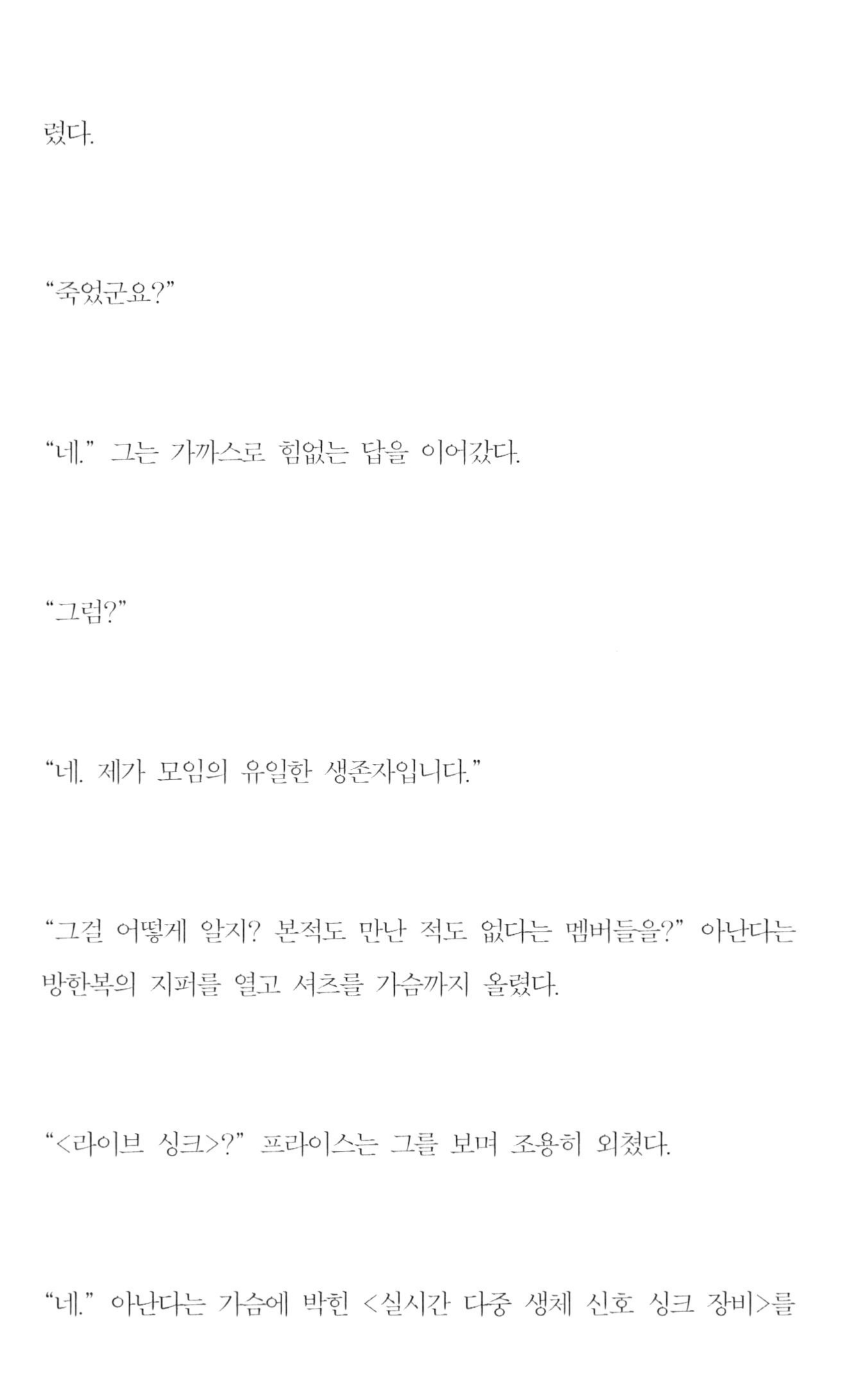

렸다.

"죽었군요?"

"네." 그는 가까스로 힘없는 답을 이어갔다.

"그럼?"

"네. 제가 모임의 유일한 생존자입니다."

"그걸 어떻게 알지? 본적도 만난 적도 없다는 멤버들을?" 아난다는 방한복의 지퍼를 열고 셔츠를 가슴까지 올렸다.

"<라이브 싱크>?" 프라이스는 그를 보며 조용히 외쳤다.

"네." 아난다는 가슴에 박힌 <실시간 다중 생체 신호 싱크 장비>를 그에게 보였다. 13개의 점멸등 중 오직 한 개만 반짝였다. 마지막 13번째만. 그는 믿기지 않는 듯 예지수의 가슴을 뚫어져라 쳐다봤다.

"그런데 이상하지 않은가? 그게 어떻게 여태 작동이 되는가? 지상의 모든 통신 시설은 파괴되거나 끊어진 것으로 알고 있는데."

"지상은 그렇습니다."

"그렇다면 하늘?"

"네. 지구 궤도에는 여전히 26,666개의 인공위성, 4개의 우주 정거장이 운행 중입니다. 달에는 9개의 유인 기지가 있고요. 화성에는…."

"사람들이 있단 말인가? 그곳에?"

"네. 적지 않은 사람들이 생존해있습니다. 우주에."

소수의 돈과 권력, 기술을 가졌던 인간들은, 지구에 미래가 없다는 것을 진작에 감지한 듯, 어느 날부터 떠날 준비를 하였다. 그들은 우선 지구 궤도를 도는 거대한 우주 정거장을 건설하였다. 그리고 달에 그들의 첫 식민지를 세웠다.

그들의 두 번째 식민지는 화성이었다. 그리고 차례대로 태양계에 5개의 식민지를 더 건설하였다. 목성의 위성인 유로파, 가니메데, 칼리스토 그리고 토성의 위성인 엔켈라두스, 타이탄이었다. 그들은 각 식민지에 배타적인 공화국을 설립하고, 지구와의 완전 분리를 선언하였다. 즉, 허락된 소수의 인간과 그들이 만든 인조인간만이 출입할 수 있었다.

<아마겟돈>이 시작되기 한 달 전에 그들은 우주로 모두 이주하였다. 마치 <대멸종>을 알기라도 한 듯.

소수의 선택된 인간은 다음의 7개 비밀 조직과 알려지지 않은 2개의 단체 중 적어도 한 곳에 속하였다. <프리메이슨>, <일루미나

티>, <스컬 앤 본즈>, <장미 십자단>, <빌더버그>, <시온파> 그리고 <성당 기사단>.

"자네는 그들 편이었나?" 아난다는 찬찬히 보스의 얼굴을 쳐다봤다.

"아니었구나. 그러니 죽임을…." 그는 혼자서 중얼거리며 고개를 설레설레 저었다.

"동시에 죽임을 당했는가?"

"그렇진 않습니다. 적어도 열흘 전까지 <8의 형제>는 살아 있었습니다."

나는 느낄 수 있었다. 태평양의 한가운데. 생존자들의 배를 묶어 만든 거대한 인공 섬. <베네치아>에 그가 생존해있었다는 것을. 그리고 그가 나를 그곳으로 이끌었다는 것을. 비록 그와의 모든 통신 수단은 끊어졌지만, 그는 유무형의 방법으로 나를 찾을 것이라는 확신을.

아난다는 라후라를 모른다. 그의 본명도 모른다. 그의 얼굴조차 본 적이 없으니 설령 옆을 스치더라도 알아볼 재간이 없다. 하지만 라후라는 아난다를 알고 있다. 라후라는 예지수가 어설픈 해커 시절부터 줄곧 그를 지켜보았고, 그를 모임에 추천하였으며 자격을 갖출 수 있도록 교육했다.

아난다는 라후라를 알고 있다. 그는 비범하고 순수하였다. 그는 인간이 세상에 해한 악을 알고 있고 괴로워했다. 고통받는 이들에 대한 치유의 손길은 작고 외로웠지만, 그는 주저 없이 행하였다. 그는 아주 많은 것을 가진 이가 더욱 큰 것을 원한다는 것에 분노하고 저항하였다.

라후라는 알고 있었다. <풍요의 시대>가 한순간에 사라질 정도의 지나치게 많은 폭력이 세상 곳곳에 감추어져 있다는 사실을.

<배들의 섬>에서 3주를 보낸 어느 날, 아난다는 그의 잠자리에 누군가 몰래 두고 간 가방을 발견했다. 가방에는 한 권의 책도 들어있

었다. <제목 : 거리의 부랑아에서 최고 변호사가 되기까지> <저자 : 프라이스 다즈> 책을 펼치자 구부정한 등을 한 흑인이 꼿꼿하게 선 채, 활짝 웃고 있었다.

"그런데, 자네는 왜 나를 찾아왔는가? 설마 빵 한 조각 얻어먹으려고 온 것은 아니지 않은가?" 그때였다. 쉭 거리는 잡음과 함께 무전기에서 거친 목소리가 들려왔다.

"보스. 들리는가? 쉭. 보스. 들리는가? 쉭. 오버." 변호사는 황급히 무전기를 잡고 볼륨 다이얼을 올리면서 큰소리를 말하였다.

"잘 들린다. 제임스. 쉭. 그래 그곳에 뭐가 보이는가? 오버."

"네. 보스. 벽입니다. 거대한 벽이 있습니다. 9층으로 된 벽이 있습니다. 쉭. 오버."

그는 함박웃음을 지으며 아난다를 바라봤다.

"나를 다시 살리려고 왔구나? 틀림없이 나를 살리려고? 왜 나인가? 비열하고 천한 나를 살리려는 목적이 도대체 무엇인가?" 아난다는 그의 외침 속에 비친 눈물을 보았다.

아난다는 앞에 놓인 빵 한 조각을 떼어 입에 넣고 와인을 한 모금 마셨다.

거리를
비워두세요
남킹 음악에세이
남킹 컬렉션 #020

사랑 그 쓸쓸함
에 대하여
킹 음 악 산 문
SEED STORE
COFFEESHOP
PIZZA
남킹 컬렉션 #021

리셋 8

리셋

> "나는 인간의 본성에 관해서 우리가 지금까지 창조한 유일한 형태의 삶은 순전히 파괴적인 것이라고 봅니다. 자기 모습을 통해서 삶을 만드는 것이죠." - 스티븐 호킹

벽은 상상 이상으로 거대하였다. 절벽 전체가 온통 흰 벽이었다. 그리고 교묘하게 감추어져 있었다. 멀리서 바라볼 때는 틀림없이 그냥 눈으로 덮인 해안 절벽이었다. 하긴, 감히 누가 이런 극한의 오지에 인조 구조물이 있으리라고 상상조차 할 수 있었겠는가? 변호사 일행과 아난다는 한동안 입을 다물지 못하고 그들 앞에 펼쳐진 9층으로 나누어진 거대한 작품에 감탄을 연발하고 있었다.

거친 바람이 그들을 휘어잡았다. 그러나 누구도 움츠러들지 않았다.

"감상만 할건가?" 보스는 싱긋이 웃으며 아난다의 어깨를 툭 쳤다. 그들은 서둘러 벽 가까이 걸어갔다. 선발대가 그곳에 있었다. 그들

모두 들떠 있었다. 일행은 기쁨으로 모두 얼싸안았다. 어쩌면 세상 모든 이가 오랫동안 배불리 먹어도 될 만큼의 어마어마한 양의 음식. 감히 어느 누가 이런 곳이 존재하리라 상상조차 할 수 있었겠는가?

눈 앞에 펼쳐진 거대한 냉장고. <**절망의 시대**>에 이것보다 더 희망적인 게 있을 수 있을까?

"들어가는 방법은 찾았소?" 변호사는 무전기를 든 부하에게 들뜬 표정으로 물었다.

"아뇨. 아직…." 부하는 고개를 절레절레 흔들며 서둘러 보스 일행을 문 앞으로 인도했다. 어마어마한 크기의 벽과는 달리, 문은 한 사람이 겨우 들어갈 정도로 작고 좁았다. 그리고 당연하게도 굳게 닫혀 있었다. 그들은 일순 당황하지 않을 수 없었다.

은색으로 반짝이는 문은, 마치 중앙은행의 대형 금고처럼 단단하게 보였기 때문이었다. 자세히 보니, 중앙에 둥근 원이 있고 그 속에 두 개의 손바닥 문양이 그려져 있었다. 그것뿐이었다. 다이얼도, 손잡이도 없었다.

“자네는 방법을 아는가?” 보스는 다급하게 아난다를 바라보며 물었다. 그는 고개를 천천히 저었다.

“제가 아는 것은 위치뿐입니다.” 그는 한 걸음 물러서며 애써 그의 시선을 외면했다.

“아무래도 폭파를 해야 할 듯합니다.” 누군가 외쳤다. 하지만 다른 이의 반박이 곧바로 돌아왔다.

“그건 위험합니다. 위를 보십시오. 온통 얼음 계곡입니다. 폭파와 동시에 무너져 내릴지도 모릅니다.” 일행은 일제히 고개를 들어 거대한 높이의 계곡을 쳐다봤다. 수만 년 동안 눈과 얼음으로 형성된 거대한 빙벽이 금방이라도 무너져내릴 듯 위태하게 인간을 내려다보고 있었다.

일순, 모두의 입가에 머물던 웃음이 사라졌다. 거대한 자연 앞에 인간은 그저 하루살이에 불과했다. 굳게 닫힌 좁은 문. 끝도 없이 불어오는 폭풍 같은 찬바람. 무엇을 어떻게 해야 할지 난감하기만 하였다.

아난다는 곁눈질로 보스를 쳐다봤다.

얼어붙은 무리 속에, 그는 천천히 고개를 움직이며 주변을 둘러보고 있었다. 그의 두 눈이 빙벽을 반사한 강렬한 태양 빛에 물들어, 타오르듯 빛나고 있었다. 무리의 시선도, 갈구하듯, 대부분 프라이스를 지켜보기 시작했다.

거침없는 햇살과 오싹하리만큼 차가운 바람 속에, 그는 이윽고 뭔가를 결심한 듯, 아난다의 손을 잡고 천천히 문 앞으로 가까이 다가갔다.

“단언컨대, 세상에 나만큼 절망 속에 살아나는 법을 체득한 이는 없을게요. 태어나면서부터 버림받고, 온갖 악의 소굴에서 용케도 생명줄을 유지하였으며, 이제 지옥으로 변한 세상에서도 이렇게 잘 버티고 있지 않소? 나는 남들보다 더 똑똑하고, 더 성실하고, 더 노력하고, 더 영악하다는 것에 일종의 자긍심 같은 것을 지니게 되었소. 뭐, 나 정도의 위치에 있는 사람이라면 당연한 일이겠지만 말이오. 세상에서 가장 유명한 곱사등이가 아니겠소." 그는 아난다를 잡은 손에 힘을 주며 싱긋이 희고 큰 이빨을 드러냈다.

"그래서 그런지. 어쩐지 막다른 골목에 들어서면 왠지 모를 쾌락 같은 게 느껴진단 말이오. 지금까지 그랬던 것처럼, 어려움, 곤란, 무서움, 공포 같은 것들이 내게 부여하는 삶의 의미 말이요."

"그렇다면?" 예지수의 질문에 그는 고개를 끄덕거렸다.

"그렇소. 당신들이 나를 지목한 이유가 뭐겠소? 나를 이 거대한 창고로 인도한 이유가 뭐겠소?" 그는 이제 확신에 찬 눈빛으로 주위를 둘러보았다. 거친 바람 속에 유난히 그의 눈이 빛나고 있었다. 아난다는 속으로 중얼거렸다.

'종말의 시대를 거뜬히 헤쳐나갈 지도자.'

그는 이제 천천히, 그가 잡은 예지수의 오른손을 들어 올렸다.

"살아남기 위해 내가 터득한 지혜라고나 할까? 내 주위의 적과 친구를 구별하기 위하여, 나는 무척이나 섬세하게 상대방을 관찰하는 버릇이 생겼소. 만찬에서 나의 주의를 끈 것 중 하나는, 당신의 오른손이오." 그는 아난다의 오른손을 들어 펴보였다.

유난히 휘어진 새끼손가락이 드러났다.

"자, 이제 문에 새겨진 문양을 한번 보기 바라오. 어떻게 생겼는지?" 놀랍게도, 문에 그려진 손바닥 문양에도 새끼손가락이 휘어져 있었다. 좌중에 감탄사가 터져 나왔다. 모두가 놀란 듯 보였다. 하지만 가장 놀란 것은 아난다였다.

손바닥 모양뿐만 아니라 크기, 손금까지, 복사한 듯, 정확하게 같아 보였다.

'어떻게 나의 손바닥이 저곳에 그려져 있단 말인가?' 여러 개의 의

문이 동시에 터져 나오기 시작했다. '도대체 누가? 왜? **도대체 나는 누구란 말인가?'**

"자, 이제 서둘러 당신의 손을 저 문양에 일치시켜 보기 바라오." 그는 성급한 아이처럼 재촉했다. 하지만 아난다는 주춤거렸다. 믿기지 않는 우연의 일치에 머릿속이 타들어 갈 것처럼 혼란스러웠다. 하지만 주위의 눈빛은 강렬하고 냉혹했다.

그들은 예지수의 두 손을 잘라서라도 저곳에 갖다 대기를 원하는 것처럼 보였다. 아니, 실제로 그렇게 할 인간들이었다. 굶주림은 인간이 단지 동물에 지나지 않는 사실을 뼈저리게 느끼게 해주었다.

아난다는 천천히 문 앞에 다가가 그의 두 손바닥을 문양에 조심스레 갖다 대었다. 면은 등골이 오싹할 정도로 차가웠다. 머릿속을 채우던 온갖 의문들이 삽시간에 날아가 버렸다. 그리고 그 순간, 모든 이의 동작이 긴장으로 멈추었다. 혹한의 바람 속에 그대로 얼어버린 듯하였다.

잠깐의 정적이 공간을 지배했다.

하지만 얼마 지나지 않아 반응이 왔다. 딱딱하기만 하던 차가운 면이 어느새 따뜻해지기 시작하더니 점점 물컹거리며 액체로 변하더니 그의 손을 감싸며 손등으로 손목으로 점점 올라오기 시작했다. 당황한 아난다는 급히 손을 빼보려 하였지만, 완전히 달라붙어 꼼짝도 하지 않았다. 동시에 손이 문 안쪽으로 점점 빨려 들어갔다.

그는 당황하여 소리를 지르기 시작했다. 곁의 누군가가 예지수의 어깨를 잡았지만 격렬한 스파크와 함께 그는 멀찌감치 튕겨 나가 버렸다. 사람들은 공포에 쌓인 채, 일제히 뒤로 물러났다. 삽시간에 일어난 충격으로, 누구 하나 감히 그를 도울 생각을 못 하였다.

그 사이, 흐물거리는 뜨거운 액체는 점점 그의 몸을 둘러싸더니, 두툼한 방한복을 조각조각 찢어버리고는, 그를 깊은 구멍 속으로 집어넣기 시작했다. 마치 중력이 사라진 골짜기를 흐르듯 통통거리며, 검은 공간을 떠다녔다. 그리고 얼마 지나지 않아 뜨거움이 사라졌다. 움직임도 멈추었다.

그의 몸은 액체 속에 굳은 듯 손가락 하나 까딱할 수 없게 되었다.

공포가 전신을 덮쳐왔다. 그는 마구 소리를 지르고 싶었지만, 입은 벌어진 채 꼼짝도 하지 않았다. 마치 <수술 중 각성> 상태에 빠져 버린 듯하였다. 그리고 서서히 어둠이 사라지고 주위가 밝아졌다.

그는 마치 투명 보석 속에 갇힌 벌레처럼 느껴졌다.

잠깐의 시간이 흐른 뒤, 보스 일행이 어른거리며 보이기 시작했다. 문에 난 틈새로 조심스레 그들이 나타났다. 보스는 무리의 중심에 있었다. 아난다는 있는 힘껏 몸을 비틀려고 노력했다. 하지만 여전히 발가락 하나 까딱할 수 없었다. 어쩔 수 없이 그들이 이제 자신을 발견하기만을 바랐다. 하지만 무슨 이유인지, 그들은 모두 그냥 스쳐 갔다. 마치 그의 모습이 보이지 않는 듯이.

아난다는 절망적인 눈길로 그들이 시야에서 사라지는 것을 지켜볼 수밖에 없었다.

곧이어 환호성이 터져나왔다. 그들이 다시 예지수의 시야에 잡혔을 때는, 무거운 식품 상자를 모두 짊어진 채였다. 그들은 모두 축제의 한가운데 있었다. 그리고 아무도 그의 부재를 생각하지 않는 듯 보였다.

그는 쓸쓸함을 느꼈다. 일행은 무거운 짐을 지고 가벼운 발걸음으로 문을 나서고 있었다. 하나, 둘, 셋…. 그들이 모두 사라졌다. 사라진 틈으로 남극의 눈보라가 일정하게 들어왔다. 그는 한동안 그곳을 바라봤다.

시간이 흐를수록 공포가 서서히 줄어들었다. 여전히 꼼짝달싹할 수 없게 갇혀있었지만 편안함이 느껴지기도 하였다.

아난다는 이제 그의 앞에 반사된 흐릿한 그를 볼 수 있었다. <라이브 싱크>의 마지막 점멸등이 서서히 꺼져가고 있었다. 동시에 그의 사고가 조용히 흩어지는 것도 느낄 수 있었다. 아난다는 점점 안정되었다. 느낌이 줄어들고 고통이 사라졌다.

행복감이 들어오고 그를 누르던 세상의 기우들이 벗겨지는 것을 기분 좋게 받아들였다. 그는 이제 기억이 모두 사라지기 전, 가방 속에 들어있던 내 형제의 마지막 메시지를 다시 한번 되새겼다.

‘<Memento mori>. 슬퍼하지 마라 아난다여. 나의 형제여. 모든 것은 예정되었네. 세상은 다시 태어날 걸세. 오래전 그때처럼. <Memento mori>.’

그는 그때 깨달았다. 그의 12 형제들이 가까이 잠들어 있다는 사실을. 그리고 그는 어떤 것을 생각하기 시작했다. 어쩌면 9개의 계단이 모두 열리고, 세상의 오염이 모두 걷힌 날, 누군가 우리를 냉동고에서 꺼내 줄지도 모른다는 희망을.

리셋된 세상으로.

아난다는 마지막으로 생각했다. ‘당신의 뜻대로 되었나이다.’

<끝>

남킹의 문장 17
브런치스토리
남 킹
남킹 컬렉션 #022

알리칸테는
언제나 맑음
남킹 에세이
남킹 컬렉션 #023

뷔징겐 (Büsingen)

> 붓다의 세상에서 이천오백 년이나 더 흘렀지만, 여전히 번뇌는 줄어들지 않고, 의식은 더욱 가벼워지기만 했고, 감각은 내면의 불안을 증식시키기만 한다.

제냐와 헤어진 그 날. 라후라는 사리에게서 중요한 메시지를 받았다.

열차를 타고 스위스 국경을 넘기 직전이었다.

'<Memento mori 그들이 움직이기 시작했습니다. 조심하세요. 추적이 가능한 곳을 최대한 빨리 벗어나세요. Memento mori>.'

그는 시간을 확인했다.

2066년 5월 31일 오전 9시 29분.

그는 열차를 탑승하고 있었으므로 그의 위치는 실시간 추적이 가능한 상태였다.
그는 다음 정거장을 확인했다.
뷔징겐 역.

3분이내에 도착 예정이었다.
그는 우선 아난다에게 같은 메시지를 보냈다.
그리고 사리에게 답신을 보냈다.

'<Memento mori 열차에서 곧 하차합니다. 위치. 뷔징겐. Memento mori>.'

그는 연구소 동료에게서도 다급한 SNS 메시지를 받았다.
'수십명의 경찰이 당신을 찾고 있습니다.
무슨 일이 있었나요?'
그는 이것을 받자마자 모든 연락가능한 스마트 기기의 전원을 껐다.

지금부터는 오직 사피엔티아와 연락 가능한 상태가 되었다.

곧이어 형제 전체 메시지가 도착했다.
'<Memento mori 수보티, 아난다 형제 체포됨. 그 날이 임박했습. 준비한 절차 수행바람. Memento mori>.'

곧이어 사리에게서 긴급 메시지가 왔다.

'<Memento mori 주차장에서 마틴 찾기 바람. 선글라스. Memento mori>.'

라후라는 기차에서 내려 가장 먼저 하늘을 쳐다봤다.
아니나 다를까, 수 십대의 추적 드론이 열차 플랫폼 근처를 비행하고 있었다.
플랫폼 내는 드론 비행 금지 구역이므로 그것들은 역을 빠져나오는 사람들을 대상으로 일일이 신원확인을 하고 있었다.

라후라는 가까운 화장실로 급히 들어갔다.
그리고 변기 뚜껑 위에 배낭을 펼친 뒤, 겉옷을 급하게 벗었다.

그리고 복합인지 위장용 조끼를 배낭에서 꺼내 속에 걸치고 다시 옷을 입었다.

그는 느긋한 표정으로 천천히 열차 대합실을 빠져 나와 피도르의 특수 렌즈가 장착된 선글라스를 꼈다.
몇 대의 드론이 그를 졸졸 따라 오더니 이내 포기하고 가버렸다.

주차장에 도착한 그는 마치 관광객인양 두리번거리며 차량을 조사했다.

마침내 윈도우에 마틴이라는 글자가 쓰여진 차를 발견했다.
그는 안경을 벗고 운전석에 탑승 한 후 시동을 걸었다.
무척 오래되고 낡은 차였다.
어쩔 수 없었다.

최근 차량은 AI가 기본 탑재되어, 땅속으로 꺼지지 않는 한 모든 추적이 가능하였다.
그는 잠시 어디로 향할지를 고민하다가 이내 생각을 포기하였다.

지금으로서는 최대한 그가 속한 연구소에서 멀어지는 방법뿐이었다.

그는 수동 운전으로 전환한 뒤, 가속 페달을 꾸욱 밟았다.
차는 한번 덜컥거리더니 이내 빠르게 속도를 내기 시작했다.
그가 30분쯤 산길을 달렸을 때, 메시지와 함께 목적지를 받았다.

'<Memento mori 가르니에 수도원. 릴리안 찾기 바람. 이탈리아. Memento mori>.'
라후라는 차량 네비게이션에 목적지를 이식하였다.
그리고 자동 운전으로 전환하였다.
옵션으로 <오로지 좁은도로로만>을 선택했다.

어느새 그는 꽤 깊은 산중을 달리고 있었다.
더 이상 드론은 보이지 않았다.
그는 자동차 시트를 최대한 뒤로 빼고 눕힌 다음, 눈을 감았다.

온통 아난다 걱정 뿐이었다.
그의 신변 보호는 라후라의 몫이었다.

그는 적들이 이렇게 빨리 움직일 줄은 미처 생각을 하지 못했다.

그리고 무엇보다 답답한 노릇은, 그가 지금 당장 그를 위해 할 수 있는 일이 아무것도 없다는 거였다.
그는 긴 한숨과 함께, 앞으로 펼쳐질 불길하기 짝이 없는 일들이 현실로 다가오고 있다는 불안감을 떨쳐 버릴 수 없었다.
그렇게 그는 몇 시간을 달려 이탈리아 국경을 넘었다.

라후라는 그곳에서도 구불구불한 산길을 몇 시간 더 달려 그나마 평지가 남아 있는 한적한 시골에 도착하여 잠시 숨을 골랐다.
목적지에 도착한 것이다.

투명한 하늘 아래, 건물은 오래된 듯 낡지 않았고 지저분한 듯 정돈되어 있었다.
우선, 방문객은 눈을 씻고 봐도 띄지 않았다.

좁은 골목은 막힌 듯 구부정하게 경사를 따라 오르락내리락하였고, 돌길이 끝난 자리에는 여지없이 포도밭이 펼쳐졌다.

밭은 언덕 전체를 휘어 감고 그 끝의 경계를 감히 재 볼 수 없을 정도로 이어졌다.
사람이 없는 곳이라고 해서, 혹은 사람들에게 인기가 없는 곳이라고 해서, 그곳의 가치를 함부로 속단할 수는 없다.

과거의 화려한 영광이 서린 곳일 수도 있고, 숨을 멎게 만드는 비경이 모습을 감춘 채, 우연한 방문자를 놀라게 할 수도 있기 때문이다.

그런 의미에서 가파른 언덕 꼭대기를 온통 덮고 있는, 회색의 수도원이 중앙을 차지한 마을은, 차량 내비게이션이 안내해준 곳 치고는, 꽤 호기심을 자극할 만한 풍경이었다.

마을이란, 사람과 마찬가지로, 사람들이 걷는 모습을 보면 알 수 있다.
드물게 눈에 띈, 농부든, 수도사든 그들의 걸음걸이는 아주 느렸다.

마치 달 표면을 걷는 듯하였다.

시간이 지나치게 느리게 가는 곳.
분명 그가 살던 곳과는 달랐다.
그의 도시는, 비정형, 불규칙, 가속, 오락가락, 드러남에 대한 과도한 관심, 확 트인 길과 잡동사니가 쌓인 골목, 작은 혼돈들이 뭉쳐 거대하게 뒹구는 탐닉들이 혼재하여 뿜어져 나오는 도가니 같았다.
그런 곳에 태어나서 30년 넘게 그의 습관이 길들여졌다.

라후라는 새로운 공기를 들이마시며 익숙하지 않은 환경이 제공하는 불안감을 애써 떨쳐보려고 애썼다.
동시에, 뜻하지 않은 공간에서 맞이하는 생소함에 신선한 자극을 느꼈다.
인간은 언제나 새로움을 추구한다. 호기심은 보호본능 보다 더 충동적이다.

조금 전 무언가가 그의 안에서 자극처럼 튀어나왔다.
그는 이곳을 좀 더 훑어보기로 작정했다. 그러려면 무엇보다 호텔을 찾아야 하였다.
해가 지고 있었다.

특이하게 두꺼운 슬레이트 지붕이 낮게 내려선 곳.

호텔을 표시하는 간판은 눈에 띄지 않게 작았다.
반질거리는 조약돌을 쌓아 놓은 공터를 지나자 입구가 비로소 나타났다.
경쾌한 클라브생 음악이 알 수 없는 곳에서 흘러나왔다.
안내대는 허름한 칸막이벽 하나로 구분되었다.

텅 빈 곳. 아무도 없다.
손님도 주인도.
마호가니 서랍장 만이 외로이 남아 있다.
벽지는 모서리마다 얼룩지고 부풀어있다.
벨벳 커튼이 묶인 채, 창을 암울하게 살짝 가렸다.
오랫동안 펼쳐지지 않은 윤곽이 고스란히 회색빛 먼지로 포장되었고
창틀 언저리에는 좀나방이 죽어있다.
그리고 창문 유리에 비친 그의 얼굴은 일그러져있다.
호젓하기 짝이 없는 이곳에서 언제나 인간은 혼자였다.
그는 발길을 돌리려다 멈췄다.

다른 호텔을 근처에서 찾을 가능성이 없음을 본능적으로 느꼈기 때문이었다.
그냥 기다리기로 했다.

여주인이 나타났을 때, 그는 <릴리안 나리>의 <호모 사피엔스 기록><고대 철학 편>을 읽고 있었다.
한 달째 읽고 있었다.
하지만 아직 절반도 못 읽었다.

그는 유난히 책 읽는 속도가 느렸다.
이해가 되지 않는 문장이 나오면 무한 반복 테이프처럼 지칠 때까지 곱씹었다.
특히나 이 책은 참 고통스러웠다.

마치 낱장 한 장 한 장이 한 권의 책처럼 그는 느꼈다.
차라리 멍하니 그냥 기다리는 게 쉽다고 생각했다.
아무튼, 한 장 반을 더 읽었다.

어느새 어둠이 세상을 덮었다.
수수한 마실꾼 행색의 그녀는 아무 말 없이 그에게 히드로멜리 한 잔을 따라 주었다.
그리고 그에게 묻지도 않고 보드에 걸려 있는 방 열쇠 하나를 내어 주었다.

“301호에요. 깨면 연락해요. 아침을 준비할 테니.” 이탈리아 억양이 심하게 섞인 영어를 겨우 알아들었다.

“실례지만 방값은?” 라후라는 눈을 끔벅거렸다.

“알아서 줘요. 당신이 유일한 손님이니까.”

주인은 넌지시 해쭉 웃으며 나가버렸다.

그는 술잔을 들이켰다.

시큼한 향이 목을 막으며 퍼졌다.

그는 그 순간, 제나와 보낸 어젯밤이 무척 그리웠다.

서글픈

나의 사랑

남킹 컬렉션
그레고리 홀라디의
묘한 죽음
남킹 장편소설

악어 입

> 사리는 사피엔티아의 첫 번째 형제이다.
>
> 그는 기호학자이고 해커였다.
>
> 그가 다국간 군사 비밀 협정 유출에 관한 스파이 혐의로 구속되었을 때, 가우타가 그를 찾았다.
>
> 가우타는 낡은 종이 한 장을 그에게 보였다.
>
> 그리고 곧 형제가 되었다.
>
> 그가 내민 문서의 내용은 아직까지 밝혀지지 않았다.
>
> 다만, 사리가 하염없이 눈물을 흘린 것만 알려졌다. (<릴리안 나리>의 <호모 사피엔스 기록> <구원 편> 17장 99절)

그들은 정오에 도착했다.
하늘은 맑고 바람은 잠잠했다.
그들의 발 끝에 깊이를 알 수 없는 붉은 절벽이 놓였다.

지도에서 본 그곳이었다.
일명 살마루시의 악어 입.
데론리 절벽이었다. 선경 같은 곳.

"생각만큼 크고 깊은데... 그렇지 않습니까?" 재론 오방카스는 아케론을 슬쩍 바라보며 난감함을 표했다.
동시에 그의 목소리가 한 음정 높아졌다.

하지만 아케론은 굳은 표정으로 말없이 아래를 내려다보기만 하였다.
한 줄기 바람을 타고 천둥새 무리가 높이 솟았다가 계곡의 심연으로 빨려들 듯이 사라졌다.
그 순간, 라후라는 낡고 성긴 천에 그려진 지도를 떠올렸다.

북에서 남으로 완만한 경사로 올라가던 구릉은 최남단에 이르러 급격하게 솟구쳤다.
그리고 낙서처럼 보였지만 분명 새의 그림이 그곳에 있었다.
원주민은 이 섬을 뵈끌추탄이라고 불렀다.
큰 새의 땅.

웅성거리는 소리와 함께 본진이 도착했다.
세 명의 대원과 네 명의 원주민이다.
그들은 11마리의 라마와 3마리의 망치머리 박쥐를 데려왔다.

라마는 각종 식량과 텐트 및 등산 장비를 운반하기 위한 운송 수단이다.
그리고 비상식량이기도 하다.
박쥐는 야간 경비용이다.

이 섬은 새만 큰 것이 아니다.
자이언트 모기와 지네가 서식한다.
특히, 모기는 한 번 흡혈에 2L를 마신다.
치사율도 80%가 넘는다.

"여러분, 지금 하강 준비를 하겠습니다.
최소 2군데의 확보물을 조사해 주세요.
서두르세요." 아케론의 명령이 떨어지기 무섭게 대원들과 원주민들은, 그들의 땀도 식히기 전에, 무거운 몸을 이끌고 다시 부산하게 움직이기 시작했다.

그들은 각자의 역할을 잘 알고 있었다.
많은 예행연습이 그의 주도로 이루어졌기 때문이었다.
아케론은 매우 냉정하고 치밀한 성격의 소유자였다.

무엇이던 완벽을 추구하고 누구에게도 지지 않으려고 노력하였다.

그리고 항상 진지하여 여간해서는 웃지 않았다.
당연하게도 팀원들이 가장 무서워하는 사람이었다.

그의 성격은 출생의 고통에서 기인한 면이 없지 않았다.
아케론은 쌍둥이 동생으로 태어났다.
하지만 형과 달리, 동생은 거대세포 바이러스에 감염된 채로 태어났다.

작은 머리와 노란 피부, 비대한 간과 폐 염증.
의사는, 살 가능성이 10%도 되지 않는다고 하였다.
하지만 그는 인큐베이터에서 석 달을 버텼다.

그동안 형은 어머니의 젖과 사랑을 독식하였다.
동생은 그저 투명 유리 밖, 그녀를 바라볼 뿐이었다.
가쁜 숨을 몰아 쉬며…

2개의 거대한 나무 밑동에 묶인 로프가 절벽 아래로 던져졌다.
하강 루트를 유심히 살핀 아케론은 로프를 잡은 왼손은 하강기 앞에, 오른손은 옆구리에 위치하고, 발을 어깨너비로 벌려서 천천히 뒷걸음질 치면서 내려가기 시작했다.
뒤이어 나머지 대원들과 원주민들도 따랐다.

그들은 각자, 최소한의 식량과 제례의식에 사용할 몇 가지 물건만 넣은 배낭을 짊어졌다.
그리고 마지막으로 라후라가 내려갔다.
라마와 박쥐는 그냥 남겨두었다.

운이 좋다면 얼마 뒤에 다시 사람을 만나게 될 것이다.
퓨마에게 먹히지만 않는다면...

절벽 아래에 무사히 도착한 라후라는 비로소 그 절벽의 크기를 가늠할 수 있었다.
원주민들이 세상의 끝이라고 명명할 정도로 그 폭과 넓이가 광대하였다.
그리고 청록색의 물줄기가 일직선으로 떨어지는 5개의 폭포가 합치고 갈라지면서 뿜어져 나오는 물안개로 쌍무지개가 눈앞에 병풍처럼 펼쳐졌다.

그는 인간이 범접할 수 없는 간극이 놓여있다고 느꼈다.
일행은 잠시 멈춘 채 자연의 경이에 빠져 들었다.
투명한 바람이 무쇠소리를 내며 이어졌다 사라졌다.

그는, 당연하게도 이곳이 원주민들에게는 두려움과 경외의 대상이 되고도 남을 만하다고 느꼈다.

한 세기 전, 가브리엘 튜더 신부가 미션을 와서 묘사한 바에 따르면, 이곳 주민들은 매년 3월부터 돌이 지난 아기를 제물로 바쳤다.
즉, 악어 입으로 갓난아기를 내려보낸 것이다.
그들이 두려워한 것은, 절벽에서 뻔히 내려다 보이는 곳에 위치한 반달 모양의 활화산섬, 미이샤 때문이었다.
크고 작은 300개의 섬으로 이루어진 마가스 군도는, 무인도를 제외한 대부분의 섬에서 비슷한 의식이 행해졌다.

그들이 가장 소중하게 여기는 것을 바치는 거였다.
월경을 하지 않은 처녀 혹은 사내아이였다.

각 마을이 정한 날이 오면 그곳 제사장들은 이곳 데론리 절벽으로 배를 타고 와 의식을 행하고 제물을 각자의 방식대로 바치곤 하였다.

넓은 바나나 잎으로 아기를 둘둘 말아 폭포 가장자리에 두거나 천둥새 둥지에 넣어 두기도 하고 풍선에 매달아 바람이 화산섬으로 불 때, 날리기도 하였다.
여자들은 주로 절벽에 난 동굴에 약간의 음식과 함께 가두곤 하였다.
아무튼 재물을 바치는 여러 가지의 다양한 방식이 수백 년간 이어졌다.

단 하나의 공통점이라면, 재물은 산채로 바쳐졌다는 것이다.
그리고 며칠이 지나면, 여지없이 재물은 사라지고 없었다.
그렇지 않았다면, 절벽 아래에는 수많은 시체가 널브러져 있었어야 했다.

하지만 지금까지 단 한구의 시체도, 심지어 뼛조각조차 발견할 수 없었다.
한 때, 할마서 섬과 이웃 그루던 섬 주민 간의 대규모 전쟁으로 인하여 반년정도 의식을 할 수 없는 상황이 발생했다.

그리고 그 해, 화산 폭발로 수천 명의 이재민이 발생하였다.
이것을 신의 노여움으로 원주민이 확신하기에 남음이 없었다.
하지만, 아마겟돈 이후 나타난 한 선교사에 의해 이 고통스러운 의식은 역사 속에만 남게 되었다.

그는 유일신인 하나님께 간절히 기도하면 미이사는 더 이상 폭발하지 않게 될 것이라고 공약하였으며, 정말로 그때 이후로 화산섬은 더 이상 폭발하지 않았다.

"자, 서두릅시다! 일몰 전에는 꼭 도착해야 합니다.
여러분" 아케론의 재촉에 일행은 다시 움직이기 시작했다.
전형적인 정글 숲이었다.

울창한 삼림과 늪이 공존했고 검은흙과 잡초가 바닥을 메웠다.
암묵적인 걱정이 팽배했다.
바람은 높은 나무 끝에서 만 살랑거렸다.
여기저기서 괴상한 동물 울음소리가 들려왔다.

일행은 신경을 곤두 세운체 흐릿하게 난 숲길을 헤쳐나갔다.
각자 한 손에 정글도를 쥐고 무성한 잎을 자르며 조금씩 조금씩 앞으로 전진해 나갔다.
30분쯤 갔을 때 조그마한 공터가 보였다.

나무옹이 같은 게 몇 개 있었고 낡아 빠진 해먹텐트가 나무에 묶인 채 건들거리고 있었다.
그 위로 1m쯤 되는 독사가 꿈틀거리며 몸을 쪼그리고 그들을 굽어보고 있었다.

"여기서는 땅에 텐트를 치면 한 시간도 되지 않아 수십 마리의 살인 지네 공격을 받을 겁니다." 원주민의 말을 안내인이 통역해 주었다.

"불편하지만 이 길을 선택한 것은 무엇보다 안전 때문입니다.
물론 여기도 그다지 안전한 편은 아니지만..." 라후라는 땀을 닦으며, 아케론을 쳐다 보고는 지긋이 웃었다.
그의 발치에 선명한 붉은색의 개구리가 천천히 지나갔다.

그의 말은 사실이었다.
우선, 하늘 길은 위험하기 짝이 없었다.
수천만 대의 감시 드론이 돌아다녔다.

그중에는 살상용 화기를 장착한 드론도 상당수 포함되어 있다.
차량을 이용한 지상 통로는 더 위험하다.
아마겟돈에서 살아남은 1%의 인간들이 아직 지상에 있었다.

물론 수백 개의 안전 주거 돔이 건설되어 그들을 잇는 네트워크가 형성되었지만, 그건 대부분 유럽 쪽에 국한된 상황이었다.

대다수 지역, 특히 남아메리카는 방사능이 가득한 지상에 그냥 방치된 채 생존자들이 살아갔다.
그리고 30년이 흘렀지만 여전히 방사능은 위험한 상태였다.
문제는 방사능에 오랫동안 노출된 이들의 자손들이 생기면서 심각한 돌연변이를 보인다는 거였다.

대부분이 몇 세대 이후 사라졌지만, 오히려 번성하여 무주공산이나 다름없는 지상의 세계를 빠르게 정복하는 종족이 생긴 것이다.

그들은 지능이 뛰어나고 폐쇄적이며 폭력적이었다.
특히, 이방인을 극도로 두려워하여 무차별 공격을 하는 것으로 알려졌다.
마치 인도의 노스 센티널 아일랜드 원주민처럼 되어 버렸다.
땅을 밟는 순간 시체로 변할 수 있었다.

그들은 자신을 사이커라고 불렀다.
그나마 다행 인 사실은, 남극 빙하에 세워진 극연합국은 종신 지도자인 프라이스를 중심으로 매우 효율적인 국가 형태를 자리 잡았다는 것이다.
그들은 지독한 환경에서 비롯한 태생적인 국가 이념이 있었으니, 바로 푸른 땅을 얻기 위한 북진 정책이었다.
그리고 최근 10년 동안에는 남아프리카, 마다가스카르 섬, 남미 일부 대륙을 점령하면서 그 세력을 점차 넓혀가고 있는 중이었다.

사이커와의 교전에서도 초반 어려움을 겪었으나 이후, 효율적인 전술을 도입하면서, 최근 몇 전투는 대승을 거두는 성과를 올렸다.

아직까지는 턱없이 부족한 땅이지만, 대륙의 돌연변이들을 몰아낼 수 있는 교두보를 마련한 셈이었다.
"이곳은 아마겟돈 이후 거의 폐쇄가 된, 지하세계로 연결된 가장 가까운 통로입니다.
섬은 대륙과 무척 가깝고, 활발한 지각활동으로 무수하게 많은 용암동굴이 생기며, 얽히고설켜 있는 곳입니다.

우리가 길을 잃어버리지만 않는다면 당신 아들을 꼭 만날 수 있을 겁니다. " 라후라는 자신 있게 힘주어 말을 했다.

인간의 지하세계 문명은 인류 역사만큼 오래되었다.
하지만 실질적인 지하세계의 역사는 카타콤으로부터 시작되었다고 보는 게 타당하다.
카타콤은 기독교인들이 로마 제국의 박해기에 피신처이자 순교자의 묘지였다.

로마 박해가 계속되는 동안, 그리스도인들은 지하 무덤에서 태어나 그곳에서 삶을 마감하기도 했다.

그도 그럴 것이, 탄압은 무려 300년간이나 지속되었다.
A.D. 313년 콘스탄티누스 1세가 기독교를 공인하기까지.

로마에 기독교가 공인된 후에도 신도의 일부는 계속 지하에 남았다.

그리고 그들의 아버지가 했던 것처럼, 그들은 끝없이 파 들어가기 시작했다.
하지만 이것은 기독교에만 국한된 것이 아니었다.
어느 시대를 막론하고 박해는 항상 있어 왔다.

그리고 도망자는 오지나 숲 속 혹은 동굴로 스며들기 마련이었다.

그러다 마침내 그들이 지하의 어느 지점에서 만났다.
지상의 인간에게는 마치 신화나 전설 혹은 가설 따위로 알고 있는 그곳은, 수천의 지하인이 공존할 수 있는 충분한 공간이었다.

누군가 그곳을 애틀란타로 명명했다.
그리고 늘 그렇듯, 인간은 그곳에 문명을 꽃피웠다.
하지만 지하 세계의 가장 고질적인 문제가 하나 있었다.
그것은 고립 사회라는 것이다.

즉, 근친상간이 이루어질 수밖에 없는 조건이었다.
그리고 근친이 여러 세대를 반복하게 되면, 유전학 적으로 열성 유전병의 위험성이 커질 수밖에 없는 상황이 되는 거였다.

대표적으로 우리는 스페인 합스부르크 가문을 들 수 있다.
반복된 근친혼으로 인해 점점 갈수록 무능한 왕이 등장했다.
정신적으로도 심약하고 유전된 주걱턱이 심하여 음식도 제대로 씹어 삼킬 수가 없게 된 것이다.
이 문제를 해결하기 위해 초기 지하 세계에서는 지상의 이방인을 납치하거나 유인하는 일도 발생하곤 하였다.
하지만 이곳 군도에서는 원주민을 교묘하게 협박하는 술책을 사용하고 있었다.
지하인들은 사실 지열 에너지를 오랫동안 이용해 왔다.
즉, 그들은 세대를 거듭하며, 위험하기 짝이 없는 지하 마그마를 이용하는 기술을 터득하고 있었다.

그것은 곧 원주민들을 협박하는 좋은 수단이 되었다.
재물을 바치지 않으면 화산신이 노여워한다는 소문을 퍼트리는 거였다.

그리고 실제로 화산을 살짝 분출하면 원주민들은 겁에 질려 산재물을 내놓았다.
그렇게 해서 매년 처녀와 사내 어린아이가 지하 세계로 공급되었다.

하지만 이 모든 것은 아마겟돈 이전의 이야기였다.
대멸종으로 지나치게 많은 피난민들이 지하세계에 불청객으로 들어오게 된 것이다.
이제 지하 문명은 더 이상 고립된 사회가 아니었다.
지구에서 가장 안전한 곳이 되었다.

"여기까지입니다." 앞서가던 통역사가 아케론을 바라보며 외쳤다.

기이한 문양으로 장식이 된 돌 조각상들이 작은 공터를 차지하고 있었다.
얼굴은 도마뱀처럼 생겼으나 몸은 가냘픈 여인의 모습을 하고 있었다.
갑옷을 두른 듯 어깨는 넓었으나 밑은 삼각팬티만 착용한 듯 보였다.

“제라두나입니다.” 라후라는 아케론에게 다가가며 속삭였다.
“원주민들을 협박하기 위해 만든 조각상입니다.

유일한 화산섬인 미이사는 남성신으로 여러 명의 제라두나, 즉 여성신을 아내로 두고 있습니다.
매년 바치는 처녀가 제라두나 가 되고 어린아이가 그들에게서 난 자식이 되는 겁니다.”

원주민들은 서둘러 가져온 재기를 풀기 시작했다.
그리고 파이어스틸을 이용해 불을 지폈다.
그리고는 제사 의식을 하기 시작했다.

이 광경을 지켜보면서 라후라는 다시 아케론에게 속삭였다.

“여기서부터는 우리만 갈 수 있습니다.
이곳부터 저들에게는 신의 영역입니다.
카스툴퀴에라고 부릅니다.

모든 게 사라지는 곳을 의미합니다."

그러면서 라후라는 준비해둔 스노클링 마스크를 꺼내 아케론에게 주었다.

"이게 필요합니다.

여기서 10분 거리에 끓는 호수가 나옵니다.

사실 그건 지하에서 올라오는 물방울입니다.

우리는 지하로 이어진 물줄기를 따라 끝없이 내려갈 것입니다.

최대한 숨을 천천히 쉬기 바랍니다.

그럼 행운을..."

아케론은 라후라의 손을 굳게 잡았다.

남킹 컬렉션 #004
심해
deep ocean
남킹 SF 장편소설

파멸 예언서

떠오르는 위협

남킹 장편소설

남킹 컬렉션 #008